Daniel Bougnoux

Introduction aux sciences de la communication

Nouvelle édition

Éditions La Découverte
9 *bis*, rue Abel-Hovelacque
75013 Paris

Catalogage Électre-Bibliographie

BOUGNOUX Daniel
Introduction aux sciences de la communication. — Nouv. éd. — Paris : La Découverte, 2001. — (Repères ; 245)
ISBN 2-7071-3471-6

Rameau :	sciences de l'information communication
Dewey :	302.2 : Psychologie sociale. Groupes sociaux. Conscience collective
Public concerné :	1er et 2e cycles. Public motivé

Si vous désirez être tenu régulièrement informé de nos parutions, il vous suffit d'envoyer vos nom et adresse aux Éditions La Découverte, 9 *bis*, rue Abel-Hovelacque, 75013 Paris. Vous recevrez gratuitement notre bulletin trimestriel **A la Découverte**.

Introduction

Cet ouvrage a l'ambition de donner au lecteur un trousseau de clés pour entrer et circuler dans les sciences ou les disciplines dites « de la communication ». Celles-ci ne constituent certainement pas un ensemble clos de problèmes, de théories ni de données empiriques. L'étudiant qui s'y aventure affrontera, selon les universités et les cursus, des programmes sensiblement différents ; quant aux enseignants et aux chercheurs, ils ne détiennent chacun qu'un morceau déchiré de la carte des études, et eux-mêmes ont du mal, quand ils lisent les travaux de leurs collègues, à s'entendre sur des définitions de base ou à bien *communiquer*.

L'interdiscipline des SIC (sciences de l'information et de la communication) suscite un engouement évident : qui ne se sent par elle concerné ? Mais les embarras nés de son extension et de son rapide développement ne sont pas moindres : comment couvrir ces territoires immenses et les articuler entre eux ? Comment s'entendre sur une base ou un corpus minimal de références théoriques, de concepts ou, comme on dit, de *paradigmes* ? Le danger pour les SIC est de ressembler au vestibule d'une grande maison ou à quelque salle des pas perdus : des passants s'y croisent et discutent, mais personne ne vient pour y travailler ou y résider durablement, les choses sérieuses se font ailleurs. Ou bien, autre métaphore pessimiste, beaucoup de courants se déversent dans nos SIC, mais l'eau ne remonte jamais la cascade ; de même, les disciplines de la communication empruntent aux sciences constituées quantité de modèles, mais elles-mêmes peuvent-elles émettre ou engendrer un véritable savoir ?

L'auteur de ce livre a enseigné la philosophie, puis la littérature, avant de se consacrer aux sciences de la communication.

Il n'est pas venu à cette (inter)discipline pour ce qu'elle avait d'original ou d'unique à dire, car ses contenus peuvent être repris ou se trouvent déjà portés par ses voisines, mais pour le carrefour où elle se tient : « en communication », on a la chance de confronter et de tresser ensemble des problématiques présentes dans d'autres domaines, mais inégalement éclairées.

Plus précisément, une approche communicationnelle de questions anciennes pourrait renouveler celles-ci. Pourquoi retrouve-t-on la « communication » aux principales intersections des réflexions philosophiques et de sciences sociales ? C'est qu'il s'agit à notre époque, avec ou sans le secours des SIC, de comprendre plusieurs mutations.

Penser la fin des transcendances : ou comment mettre en relations horizontales (c'est-à-dire, comme nous le verrons ci-dessous au chapitre II, en relations « pragmatiques ») ce qui était vécu ou pensé par les générations précédentes selon une dimension verticale. Nos SIC accompagnent le mouvement de désacralisation, ou de sécularisation, par lequel Max Weber (avec d'autres) a décrit et défini la modernité.

Critiquer le logocentrisme : replongés dans la communication (chapitre III), les signes linguistiques perdent en prestige et en autonomie, ils participent d'un orchestre (comme dit Bateson) où les langages du corps, l'expression, mais aussi d'autres couches signifiantes, comme l'image ou l'indice, reprennent toute leur place. Notre langage n'est plus, ou pas seulement, l'élément par excellence du dévoilement de la vérité. De la photographie à la vidéo, l'essor d'autres supports visuels de la mémoire, de l'information ou du témoignage a rongé la transcendance accordée aux mots, au profit d'un orchestre sémiotique plus large et plus conforme à nos échanges ordinaires.

Critiquer l'égocentrisme : notre tradition philosophique a longtemps favorisé une conception individualiste de la connaissance. Les SIC accompagnent aujourd'hui la philosophie dans une pensée de la relation fondatrice ou première (chapitre II) : seules l'intersubjectivité et une communauté (familiale, sociale) déjà instituée peuvent engendrer le sujet ou un Je doué d'une identité.

Penser l'essor de l'individualisme ou de l'autonomie : une compréhension plus fine des relations premières n'est pas contradictoire avec la dissolution progressive, et inéluctable dans nos sociétés, des solidarités organiques, ou *holistiques*, de la famille, du village ou de la nation. Qu'on le déplore ou qu'on s'en félicite, les « nouvelles technologies » (qui commencent avec l'écriture, en passant par l'imprimerie, la photographie ou aujourd'hui Internet) ont pour effet, et peut-être pour critère, de rendre plus difficile le monopole du sens des messages par leurs émetteurs, et plus facile leur retraitement ou leur réappropriation privée par des cercles de récepteurs de plus en plus larges.

Produire la raison comme communication : les philosophes ont trop longtemps placé la raison à l'intérieur de chaque sujet, comme une faculté innée. Au rebours de cet innéisme, les SIC contribuent à décrire l'extériorité de la raison, qui réside notamment dans les réseaux sociotechniques de nos outils (de connaissance, de classement, d'administration...).

Évaluer les effets de la technique : les techniques renvoient à une activité traditionnellement méprisée ou traitée comme une réalité subalterne. Comment, sans tomber dans un déterminisme sommaire, décrire les enchevêtrements entre nos outils et nos performances symboliques (chapitres IV, V, VII) ? Si le « haut » s'explique toujours par le « bas », le projet d'une médiologie — d'une logique des médias — devra examiner les multiples influences de ceux-ci sur l'*esprit*, et leur efficacité, selon une approche historique, matérialiste et résolument éco-logique.

Penser l'ouverture informationnelle : la valeur appelée *information* laisse l'avenir indéfiniment ouvert. Notre culture occidentale se montre sensible à l'événement, et cette ouverture aléatoire est une autre facette des valeurs de progrès et d'autonomie (chapitre VI).

Affronter l'interdépendance : à l'horizon de la communication moderne surgit aujourd'hui ce spectre, la mondialisation, aux conséquences bonnes et mauvaises (chapitre VIII). L'ouverture des frontières (pas seulement géographiques), les bouleversements radicaux de l'ici et du maintenant, du proche et du lointain nous contraignent à repenser l'*universel* sans les facilités ethnocentriques de la philosophie des Lumières.

Une randonnée critique

Penser les phénomènes de communication entraîne à plusieurs ingérences dans d'autres disciplines, où nous exercerons un droit de suite. Non pour le plaisir d'additionner des bribes de savoirs dispersés, mais pour mettre ceux-ci à plat, les relier et les éclairer les uns par les autres. C'est pourquoi notre ouvrage évitera dans la mesure du possible l'énumération des doctrines. Bien loin de stimuler la pensée, la juxtaposition des noms propres et des résumés décourage rapidement par la multiplicité des renvois, la cacophonie des approches et des niveaux de réflexion... Nous ne voulons pas donner au lecteur le tournis, mais l'orienter dans quelques problématiques et lui fournir quelques réels outils d'analyse et de saisie des phénomènes.

Nous nous bornerons pour cela à huit chapitres, qui posent chacun une ou plusieurs questions cruciales dans le champ des SIC. Ces questions parcourues bout à bout composeront une randonnée critique ; elles n'épuiseront certes pas l'ensemble de l'interdiscipline, mais elles jetteront sur elle un filet et permettront de nombreuses corrélations. Un lexique des principaux concepts rencontrés, et pointés par des astérisques (*), récapitule en annexe ce qu'il s'agit ici pour l'étudiant d'acquérir : une langue mieux faite, chevillée par des mots qui l'aideront à penser par lui-même. Ces concepts sont issus de doctrines ou de textes que nous ne pourrons citer longuement dans ces pages, mais dont nous indiquerons chaque fois la provenance.

Pour poser les questions que nous venons brièvement d'évoquer, et quelques autres, la *pensée communicationnelle* n'a pas attendu l'émergence (tardive) de notre interdiscipline. C'est ainsi que les arguments mentionnés par Platon contre l'invention de l'écriture ont resurgi hier contre l'ordinateur, ou aujourd'hui contre les « mondes virtuels » ; que Rousseau ou les Pères de l'Église déjà s'inquiétaient du spectacle ou de l'inflation sémiotique ; que les intuitions fondatrices de la pragmatique se nouaient chez les grands rhéteurs, ou chez les philosophes ennemis du platonisme ou du cartésianisme... Une pédagogie ouverte, soucieuse du long terme ou du temps de la pensée, en un mot un enseignement pleinement *universitaire*, ne peut que remonter à ces textes ou aux problématiques de ces auteurs, qui éclairent grandement les nôtres.

La plupart de ceux que nous citerons sont accessibles, en extraits, dans notre anthologie des *Sciences de l'information et de la communication*, publiée en 1993 chez Larousse dans la collection « Textes essentiels », que le présent ouvrage complète, et nous y renverrons désormais sous ce titre.

---

* Voir lexique en fin d'ouvrage, p. 116.

I / Qu'est-ce qu'un problème de communication ?

Nulle part ni pour personne n'existe LA communication. Ce terme recouvre trop de pratiques, nécessairement disparates, indéfiniment ouvertes et non dénombrables.

1. La communication en marge des savoirs

Les SIC correspondent à une exigence pédagogique et théorique. Elles sont nées dans les universités du désir d'adapter leurs filières à des débouchés inédits et à l'essor rapide de nouvelles professions ; dans le champ intellectuel, la discipline a surgi d'une interrogation anthropologique sur la redéfinition de la culture, identifiée aux différentes manières de communiquer, et d'abord centrée dans les années soixante sur l'échange et la formalisation linguistiques (avec les recherches « structuralistes » de Lévi-Strauss, Barthes ou Jakobson). En pratique, nos SIC accompagnent et tentent de cadrer aujourd'hui les transformations des médias, le développement incessant des « nouvelles technologies », ainsi que l'essor des relations publiques en général. Elles concernent donc à la fois beaucoup de gens (tous ceux qui ont quelque chose à vendre ou à partager !) et se trouvent éparses dans la culture et dans le corps social. À sa manière, la « communication » prolonge la philosophie en relançant les grandes questions traditionnelles sur la vérité, le réel, le lien social, l'imaginaire, la possibilité de l'enseignement, de la justice, du consensus, du beau, etc., avec des conceps renouvelés (retrempés notamment dans la sémiologie et la pragmatique). Avec moins d'idéalisme que l'approche philosophique, les SIC examinent les conditions pratiques (l'outillage médiatique, institutionnel et symbolique) qui sont les nôtres. Elles favorisent donc le retour du sujet, ou plutôt de tous les sujets, objets et outils compris. La « communication » résiste ainsi aux tentatives prématurées d'en faire un domaine clos, universitaire ou professionnel. C'est une discipline inconfortable pour l'étudiant si celui-ci attend un programme, des objets ou des débouchés, car comme la philosophie elle compense son absence de fondements ou de théorie dominante en circulant entre les savoirs et en remettant ceux-ci en question.

Un noyau dur, la logique des médias

Pour fixer cependant les idées, il semble qu'un noyau dur de nos études réside dans l'histoire des techniques du traitement et de la transmission des messages. Ce programme déborde à vrai dire l'histoire proprement dite en direction d'une médiologie, qui examine le média ou l'outil de transmission (téléphone, imprimerie ou réseau Internet) sous toutes ses facettes, dans ses aspects *sémiologiques* (quel type de signes utilise tel média, se limite-t-il à transmettre du texte, ou l'enrichit-il par des images ou des indices, et pour quelles performances ?), *pragmatiques* (comment les usagers s'emparent-ils des messages pour en modifier le sens, quel degré d'interactivité s'observe entre l'émission et la réception de ceux-ci ?), *imaginaires* (comment le rêve individuel ou social ne se contente pas d'utiliser l'outil mais l'irréalise, l'esthétise, l'enrobe d'identifications ou de projections), *systémiques* (comment nous possédons des médias qui nous possèdent — logique retorse ! —, comment ces prothèses techniques nous façonnent un milieu ou un tissu conjonctif que nous prenons éventuellement pour des prolongements de nous-mêmes...).

L'histoire des médias a donné à notre interdiscipline des objets et un solide terrain empirique. Mais nos études s'intéressent d'abord aux usages, ou aux effets symboliques, et en tirant sur ce fil rouge d'une logique des médias, tout le social et l'interpersonnel viennent avec.

Opération technique et relation pragmatique

Parmi toutes les activités humaines, comment distinguer celles qui relèvent spécifiquement de la communication ? Cela pourrait se figurer sous la forme d'un arbre ou d'un graphe descendant. Le premier embranchement distinguerait les constructions de signes des constructions ou activités portant sur les choses, autrement dit la sphère sémiotique de la sphère technique. Assembler ou réparer un ordinateur sont des activités techniques qui ne concernent pas comme telle la communication, celle-ci n'apparaissant qu'avec l'envoi, la réception ou le traitement d'un signe ou d'un message. Mais il est insuffisant de décrire la communication comme une activité ou un travail sur les signes, car la sémiotisation croissante des tâches (dans ce qu'on appelle la civilisation postindustrielle) permettrait d'y regrouper pêle-mêle tous les métiers qui consistent à déchiffrer un signal, ou un symptôme, qu'ils développent en une chaîne technique d'opérations efficaces. Un médecin, par exemple, un chauffeur de taxi ou un aiguilleur du ciel traitent en techniciens quantité de signaux, et ils agissent par le détour de ceux-ci sur des objets ou sur des corps. Notre concept de communication au contraire semble impliquer une action sur l'esprit des personnes : l'agir communicationnel ne met pas en relation le sujet et l'objet (couple technique), mais le sujet avec le sujet (couple pragmatique). *C'est l'homme agissant sur (les représentations de) l'homme par le détour des signes.*

L'incertitude communicationnelle

Il est capital pour nos études de bien distinguer une relation technique ou scientifique, qui court du sujet à l'objet, d'avec une relation pragmatique, qui entrelace le sujet au sujet : *tekhnè* désigne en grec l'action du sujet sur l'objet, *praxis* (d'où dérive notre *pragmatique*), l'action de l'homme sur l'homme. La première relation est descendante, et banalement manipulatoire, la seconde est circulaire, ou réflexive, ou réverbérante, et exclut en principe le regard de surplomb ou la visée instrumentale.

Le propre de cette relation pragmatique est d'être aléatoire. Un sujet n'est pas une machine, on n'agit pas sur lui avec une certitude anticipée de réponse. On *programme* (catégorie technique) une machine ou une filière de production, mais non pas ses amours, ni ses conversations (échanges définitivement pragmatiques). Si nous définissons donc nos phénomènes de communication comme la sphère des activités pragmatiques de traitement des messages entre des sujets, on voit qu'un des critères de reconnaissance de ces actions réside dans leur *échec* toujours possible. Un automobiliste se trompe rarement dans le traitement des signaux qu'il anticipe ou reçoit ; un publicitaire, un psychanalyste ou un responsable de communication politique, assez souvent (certains diront presque toujours). Pourquoi Chirac l'a-t-il en 1995 emporté sur Balladur ? Pourquoi Juppé l'année suivante a-t-il dégringolé dans les sondages ? À la différence d'une chaîne technique, une chaîne de communication fondée sur les relations pragmatiques peut toujours se rompre — ou réussir brillamment — sans qu'on sache très bien pourquoi.

Nous dirons qu'il est par principe difficile d'évaluer objectivement les résultats d'une « opération de communication ». D'où d'incessantes polémiques (autour de la psychanalyse, de l'art, des médias et, bien sûr, de la communication politique). La communication apparaît ainsi comme la part maudite, ou mal dite, de nos échanges, celle qui ne se laisse pas quantifier, techniciser, ni décrire objectivement.

Là où les aléatoires relations pragmatiques ont réussi à s'accrocher à des objets, à des points fixes ou à des routines bien rodées, elles perdent le nom de communication pour s'appeler plus simplement enseignement (grâce au contenu des programmes), commerce ou vente (grâce au cours fixé des prix), médecine (grâce aux prescriptions de médicaments)... Un contenu technique et stabilisateur émerge du fouillis (ou de la sorcellerie) des interactions relationnelles. Mais cette autonomisation relative autour des *contenus* ne règle pas la question toujours préoccupante (pragmatique) de la *relation* : que de pédagogues savants mais incapables de faire cours ! Que de médecins, bons techniciens des plaies ou des microbes mais inaptes à prodiguer au patient le moindre soutien ! (L'anglais distingue deux niveaux dans les soins, *to cure*, objectif, et *to care*, subjectif ou relationnel.) De même le commerçant ne se contente pas d'étaler ses marchandises, il doit enrober celles-ci d'un emballage et d'un nimbe publicitaire pour mouvoir le désir des gens, tâche éminemment pragmatique.

Il faut donc que notre communication demeure cette chose turbulente et vague, de laquelle il n'y a ni science ni technique, mais qui surplombe ou cadre la plupart de celles-ci. On n'abordera pas ce domaine sans être un peu sorcier, ou artiste ; et de fait la « communication » s'accumule, ou est à son comble, dans la relation interpersonnelle, dans la psychanalyse, dans l'art ou dans le marketing publicitaire ou politique, qui ne relèveront jamais, quoi qu'en pensent certains, d'une technique adéquate ni de routines programmables.

Le champ professionnel recouvert par la communication est donc appelé à en infiltrer beaucoup d'autres : partout où l'action technique révèle ses limites et réclame un « supplément de relations », de séduction — ou de contrôle. Les demandes et les voisinages surgiront des lieux les plus inattendus, mais notre discipline elle-même intéresse trop de domaines pour avoir vraiment *lieu*. Et son autonomisation récente est plus institutionnelle que théorique. Faut-il s'en plaindre ou s'en réjouir ? Les programmes d'enseignement ou de recherche « en communication » pourraient être, mieux que d'autres, des espaces actifs de confrontation et de dialogue avec leurs (innombrables) voisins. La communication est comme un gros nuage que les vents poussent et déchirent, et qui plane sur à peu près tous les savoirs.

2. Les cercles de la communication

Par quels phénomènes commencer ? Ce grand sac enferme trop de choses (qui ne sont justement pas des choses, mais des relations) ; la communication, dit-on, ne serait pas *bonne à penser*. Reprenons du début, c'est-à-dire peut-être de la nature.

Communication animale et expression du comportement

Pourquoi les oiseaux chantent-ils, et comment traduire ce qu'ils disent ? Mais d'abord, chanter se ramène-t-il à parler ? Que gagne-t-on au juste, et que perd-on, en passant de l'un à l'autre ?

Quand je le caresse, mon chat ronronne : est-ce un message ? la réponse à un stimulus ? une posture ? Les oiseaux ou le chat s'expriment, et l'être vivant ne peut pas ne pas exhiber un comportement. Mais si la communication est coextensive à nos formes de vie, si *vivre c'est communiquer*, comme l'ont très justement posé en principe Bateson et ses disciples, il faut distinguer entre les registres et tracer des frontières sémiotiques, pragmatiques, médiatiques : une amibe a des comportements d'absorption ou de division qu'on retrouve chez une firme multinationale, et toutes deux se laissent représenter par une forme patatoïde, mais la métaphore est vite épuisée tant les niveaux d'organisation et d'échanges sont différents.

Passons de l'animal au très jeune enfant, *in-fans*, celui qui ne parle pas. Il s'exprime néanmoins, et construit à coups de signaux — qui sont autant d'indices charnels — le riche réseau des premières relations, ou du monde primaire* et encore symbiotique du préverbal. N'allons surtout pas croire que cette animalité ou cette enfance sont des étapes anciennes, dépassées sans retour ; la sphère primaire des signaux indiciels constitue bien plutôt le socle permanent de nos relations, et la condition la plus générale de nos performances communicationnelles. C'est à ce niveau archaïque, mais toujours très présent, que nous touchent non seulement les séductions de la culture de masse (la publicité, la plupart des images, des rythmes ou des messages-stimuli de notre environnement médiatique ou urbain), mais aussi les œuvres de l'art et les influences qui circulent dans nos relations interpersonnelles. Au commencement n'était pas le verbe mais la chair, sensible, extensible, les corps se touchent et communiquent avant les « esprits » ; la résille d'une conversation par exemple tient à ces ponts comportementaux lancés entre les individus ; toute communauté est tissée d'un maillage indiciel, d'autant plus efficace (dans la communication politique comme dans la publicité) qu'il demeure largement inconscient ou primaire, enfoui sous les messages ou les articulations secondaires* de la communication verbale, codée et médiatisée.

Dans la sphère domestique

Visitons maintenant la maison. Elle est à la fois ouverte et fermée, équipée de fenêtres et de membranes filtrantes qui sont les terminaux du monde extérieur, acheminé sans violence, à petites doses, jusque dans notre intimité. Une classification sommaire de ces différents médias nous procurera une première cartographie de notre discipline. Certains appareils servent à augmenter le rayon des relations interpersonnelles, et c'est par excellence le cas du téléphone, du fax-répondeur, de l'*e-mail* ou de la simple boîte aux lettres. Derrière ceux-ci s'étend un réseau bruissant de messages acheminés d'individu à individu, en respectant plus ou moins les espaces et les temps propres de chacun : le répondeur en particulier, en différant la réception des messages, nous protège contre les intrusions du direct, c'est-à-dire contre le temps des autres. La télévision en revanche, les journaux, les magazines ou la radio pénètrent nos demeures d'un flot de messages qui ne lui sont pas spécifiquement destinés et sont produits à une échelle massive (quoique de mieux en mieux ciblée). Ces messages circulent d'un centre vers une périphérie largement anonyme, et ils autorisent peu la conversation ou le *feed-back** : le courrier des lecteurs, « Radio-com c'est vous » ou le passage de quelques auditeurs-spectateurs à l'antenne ne constituent pas une réelle interactivité, ce maître mot des nouvelles technologies.

Ces médias traditionnels diffusent selon un schéma « un/tous » des messages nécessairement impersonnels, et fortement standardisés selon les mesures d'audience ou la vocation des chaînes. On distingue dans leurs contenus des ingrédients très divers, qu'on regroupera en quatre grandes classes :

— l'information proprement dite (qui nous propose une connaissance), catégorie noble mais fortement minoritaire ;

— le divertissement, les fictions ou les jeux (qui nous proposent une simple détente) ;

— les émissions relationnelles, qui prétendent secouer l'apathie tant dénoncée du public et refaire du lien social (c'est le cas du Téléthon, des *reality shows* ou de tous les programmes par lesquels la télévision tente de pallier les carences de l'institution) ;

— et enfin les messages directifs, par lesquels diverses catégories d'annonceurs (qui peuvent aller des hommes politiques aux simples messages publicitaires) prescrivent l'utile et prêchent le bien.

Parmi les missions remplies par nos différents médias, une vision intellectualiste a longtemps privilégié l'information pure, ou la « culture », alors que la communication consiste d'abord à organiser le lien social, à structurer la vie quotidienne et à maintenir la cohésion de la communauté.

Nous n'avons pas mentionné l'ordinateur, qui peut assister quelques médias traditionnels, et augmente considérablement le traitement domestique de l'information et la puissance de calcul. Couplé à des CD-ROM ou au réseau Internet, l'ordinateur multimédia peut relayer, et amplifier, la plupart des fonctions informationnelles et relationnelles dévolues aux médias précédents.

Mais on trouve encore dans l'espace domestique, accrochés aux murs ou rangés sur des étagères, des livres, des disques, des photographies ou des tableaux qu'on classera en général comme œuvres (éventuellement d'art) : leur temps n'est pas celui du flot, et elles échappent au rythme de l'information puisque la fréquentation répétée d'une symphonie ou d'un poème ne les périme pas, mais augmente au contraire le plaisir que nous tirons de ces « messages » d'un genre plus rare. Alors que l'information et la communication peuvent s'exercer en temps réel, et que le direct — ou du moins une certaine fraîcheur — contribue à leur valeur, les œuvres de l'art nous atteignent le plus souvent depuis un différé qui fait au contraire leur grandeur, et qui peut, dans le cas du message spirituel, remonter à la « nuit des temps ».

L'école, cette antichambre de l'espace public, est un intense lieu de communication. Elle arrache l'enfant à la sphère domestique primaire pour l'introduire dans un espace que nous dirons encore transitionnel*, lequel n'a pas la dureté du monde du travail mais prépare à celui-ci, tout en confrontant les individus à des relations et à des conflits inédits. Le savoir véhiculé par l'école relève largement de ce que Régis Debray a nommé la graphosphère*, et la plupart des performances scolaires passent traditionnellement par le livre ; cette majesté de la chose écrite, qui fut toujours concurrencée ou complétée par l'oralité et les relations interpersonnelles, se trouve aujourd'hui défiée par d'autres outils, l'audiovisuel, le multimédia, le téléenseignement ou divers réseaux alternatifs de distribution ou d'échange des connaissances.

Les modes de raisonnement qui émergeaient du cursus traditionnel se maintiendront-ils face aux « nouvelles technologies » ? Quelles formes renouvelées de culture, ou (diront certains) d'illettrisme, engendre aujourd'hui le choc du visible avec le lisible, ou des écrans face aux écrits ? L'image, l'audiovisuel et l'ordinateur ont mis longtemps à pénétrer les enceintes pédagogiques et les contenus des programmes, et leur introduction suscite des annonces enthousiastes ou apocalyptiques. Ils ne détruiront certes ni le livre, ni le tableau noir, mais leur coexistence avec les anciens outils d'apprentissage et de culture semble irréversible, et elle annonce des formes inédites de savoir, de transmission ou de mémoire.

C'est autour de l'école en particulier que se focalise aujourd'hui le débat entre commmunication et transmission. Tout un courant « républicain » insiste sur la nécessité de protéger l'école, lieu traditionnel de la transmission des savoirs et de l'institution symbolique des sujets, contre les sirènes de la communication (et de la consommation qui accompagne celle-ci). On dénonce à l'appui de cette distinction la délégitimation insidieuse des contenus d'enseignement par les médias ; le temps long ou différé de la culture ne peut sans catastrophe s'aligner sur les rythmes et les sollicitations de l'actualité ou de l'air du temps — ni *a fortiori* sur la demande des élèves. Ce débat concerne notamment le marché du savoir, qui s'ouvre largement aujourd'hui à l'extérieur de l'école, et les offres pédagogiques d'autodidaxie massive présentes sur Internet. Mais à quelle distance de la société civile l'école doit-elle se maintenir pour remplir au mieux sa mission ? Il est évident qu'ici encore les NTIC menacent l'institution, et lui posent un défi.

Sur les routes et par les rues

L'espace urbain, ses rues et la prolifération des voies de communication entre les villes devenues mégalopoles, ou conurbations, ouvriraient un champ infini aux observations de notre interdiscipline. La rue, ou la route, n'est-elle pas l'un des premiers médias, celui qui oriente l'individu dans l'espace et qui suppose pour son frayage et son maintien une imposition collective ? Une route est une création continuée du social, et elle ne s'use que si l'on ne s'en sert pas ; elle suppose par ailleurs une intense accumulation de signes et des règles de bonne circulation. Il n'est pas rare enfin que la géographie signifiante de la route, et presque toujours de nos rues, s'accompagne de réclames, de vitrines ou de propositions marchandes qui mêlent intimement une offre de consommation à la communication.

Relations publiques et communication marketing

Les mondes du travail et de la production se trouvent aujourd'hui pareillement infiltrés, et comme transis, par l'impératif communicationnel. Quelle est l'entreprise qui ne doit pas désormais produire ou négocier ses relations, internes et externes, à la satisfaction de ses principaux partenaires ? Cela suppose, en interne, des relations de pouvoir qui ne soient pas exagérément hiérarchiques, et qui fassent place à la motivation et à la négociation ; en externe, l'entreprise doit créer son image et l'entretenir par un réseau de (bonnes) relations.

De même, les biens ou les services qu'elle jette sur le marché ne peuvent y subsister sans l'habillage de la publicité, qui gomme la violence de la production et des relations marchandes, en enrobant l'objet dans le lubrifiant universel de la gentillesse, de l'humour ou d'une séduction sexy. A quoi servirait-il de produire des marchandises si l'on ne doublait celles-ci de la production de désirs ou d'un imaginaire attirant pour ses consommateurs potentiels ? Partout où pénètrent les relations marchandes, c'est-à-dire partout où des clients ont le choix, ce modèle publicitaire tend ainsi à remplacer vaincre par convaincre, et une argumentation économique et technique (soumise au principe de réalité*) par un tourbillon de signes ludiques ou passionnels qui entraînent plus sûrement l'adhésion, ou le désir qu'un raisonnement trop sévère. Le monde glacé du calcul égoïste et des relations marchandes se trouve ainsi capitonné par la frivolité publicitaire, ou le principe de plaisir*, qui le déguise et l'accompagne comme son ombre portée. Où s'arrête aujourd'hui ce modèle de la communication *marketing* ? Partout où il faut vendre (une marchandise, un dirigeant politique, une œuvre d'art ou un courant de pensée), la panoplie publicitaire se déploie et tente de nous séduire.

L'État moderne n'échappe donc pas lui-même à cette extension de la séduction. Quand les communautés traditionnelles et quelques corps intermédiaires sont menacés de dissolution dans l'individualisme de masse, la « communication » ici encore se propose comme la panacée apte à refaire du lien social, voire de l'autorité ou de la transcendance symbolique. Peut-on toutefois produire de la croyance, de la transcendance ou de l'appartenance comme on débite ailleurs des produits manufacturés ? La vogue des études et des professions de la communication participe peut-être d'un mirage, celui de relations publiques ou d'échanges symboliques enfin accessibles à la manipulation, le rêve de produire scientifiquement quelque chose qui ressemble à du lien social.

Les mêmes études pourtant enseigneraient avec plus de profit qu'aucune société n'est fondée sur la science ni sur la logique, mais davantage sur du mythe ou sur une sorcellerie inaccessible comme telle au calcul. Les « conseillers en communication » pullulent autour des hommes politiques, des chefs d'entreprise ou de tous ceux qui détiennent aujourd'hui quelque parcelle d'autorité publique ; ils rêvent de programmer techniquement une interaction pragmatique, sans que la compétence de ces experts dépasse sensiblement celle des faiseurs de pluie.

La mondialisation

Le plus large cercle de nos études, enfin, réside dans la sphère mondiale des échanges, ou dans l'horizon baptisé globalisation. Ici encore, les prophètes de l'apocalypse et de l'avenir radieux ont rivalisé d'éloquence. Plus sobrement, nos études consisteront d'abord à distinguer dans ce domaine ce qui se mondialise désormais rapidement (les échanges monétaires et marchands, la géostratégie des multinationales ou des grandes puissances, l'information, le tourisme, la standardisation scientifique et technique ou le monde des objets en général...) et ce qui du côté des sujets résiste infiniment à ces mouvements centrifuges, et tire en sens inverse, vers les microappartenances et le morcellement communautaire. L'extension planétaire de la culture de masse n'a pas vérifié les craintes de ceux qui dénonçaient la standardisation ou le règne uniforme du même ; et le retour d'archaïsmes aussi flagrants (et scandaleux pour l'utopie communicationnelle) que la religion ou divers nationalismes donne à penser sur les limites de nos modernes « machines à communiquer » — au premier rang desquelles le moteur du marché. Coca-Cola jamais n'abolira l'islam, ni l'Occitanie, ni la gastronomie, qui se retrouvent tous trois sur Internet, où s'échangent mille et une façons de partager quelque chose, à quelques-uns ou à plusieurs millions...

Vers une culture communicationnelle

Si communiquer c'est d'abord « avoir en commun », le monde moderne et les réseaux qui le maillent ne cessent de renouveler nos façons d'être ensemble, et de ramifier *nos mondes* en les morcelant. La vertigineuse diversité des échelles de la communication, de l'interpersonnel au planétaire, et l'imbrication des niveaux font douter qu'une discipline puisse à elle seule s'emparer d'un pareil « champ ». Si une interdiscipline baptisée communication tâtonne aujourd'hui à la recherche de sa consistance, celle-ci n'adviendra que sur le mode du débat et de la confrontation entre les savoirs.

Cette culture communicationnelle semble plus complexe à acquérir qu'aucune autre, car entre le micro- et le macrosocial elle devrait embrasser au minimum une sémiologie, elle-même corrigée ou enrichie par une pragmatique et par une médiologie (pour rendre compte des phénomènes de l'énonciation sans en exclure la logique des différents médias) ; les modèles de la cybernétique devraient y intervenir, notamment les logiques de la causalité circulaire et de l'auto-organisation ; les concepts de la psychologie sociale ou de la psychanalyse parachèveraient utilement un *cursus* où l'on n'apprend pas seulement comment nos messages circulent, mais selon quels effets imaginaires ou symboliques ils trouvent preneur, et quelles raisons ou folies collectives fondent nos communautés.

Cet ensemble disciplinaire nous pose un formidable défi. Il pourrait intéresser en priorité les sociologues, les philosophes ou les logiciens, qui campent sur leurs propres modèles et ne voient dans la « communication » qu'un ramassis de questions mal posées. La relation, la fonction *média*, les techniques : ce que désigne ces termes n'est pas facile à penser. En examinant ces facteurs (traditionnellement méprisés) pour y chercher quelques ingrédients moins grandioses de notre raison, les disciplines de la communication ont déjà bien mérité de la culture.

II / Vivre reliés

Exister, c'est être relié. Aucun organisme ne peut se développer durablement à l'écart des autres, au point qu'un réseau de bonnes relations, si possible nouées dès l'enfance, semble la condition *sine qua non* de nos vies. Il faut partir de ce thème de base de nos études si nous voulons comprendre la variété de nos médias et la richesse de nos *jeux de communication.* Les messages que nous échangeons se réduisent rarement au seul langage, et ils servent à bien d'autres choses qu'à nous informer mutuellement. Une première distinction entre *contenu* et *relation* montrera que la communication ne se limite pas à l'information, celle-ci n'en constituant qu'une partie tardive, émergente et nullement indispensable.

1. Le cadre

Une discussion sur les « questions de cadre » ouvre l'ouvrage de Paul Watzlawick, J. Beavin et D. Jackson, *Une logique de la communication.* Ce livre est le premier et le principal d'une collection consacrée à l'école de Palo Alto (installée au Mental Research Institute près de San Francisco, et qui défend une approche systémique ou communicationnelle de la psychothérapie). Les auteurs posent en axiome cette importante proposition : « Toute communication présente deux aspects : le contenu et la relation, tels que le second englobe le premier et par suite est une métacommunication. »

Déchiffrer un message, ou comprendre un comportement, présuppose qu'on sache dans quel cadre entre celui-ci, c'est-à-dire dans quel type de relations il s'inscrit. Qu'une femme se déshabille devant un homme n'a pas le même sens entre amants, sur une scène de music-hall ou dans le cabinet d'un gynécologue.

Comprendre la plaisanterie, l'humour, le jeu en général... suppose chaque fois un recadrage ou un changement de plan des messages ordinaires. La vie mondaine qui multiplie nos relations est riche en effets de cadre, qui sont autant de pièges ou d'occasions de gaffes pour le profane (ce que montre par exemple l'œuvre de Proust). Nous poserons que la reconnaissance du cadre est la condition élémentaire de la perception d'un message. Une bonne part de ce qu'on appelle *art* à l'époque contemporaine peut s'analyser comme un décadrage ou un recadrage, un jeu ironique sur les cadres de nos perceptions.

La sémantique de la relation ou du cadre précède donc les contenus de nos représentations en général, et pilote celles-ci. Ou, pour le dire autrement, communiquer suppose toujours deux niveaux d'émission et de réception des messages : premièrement des messages-cadres, et sur la base de ceux-ci des messages de contenu ou d'information proprement dite. C'est ainsi que nos phrases comportent des mots ou s'accompagnent de signaux « suprasegmentaux » (posture, mimique, intonation...), pour dire comment prendre ou interpréter l'énoncé : comme une suggestion, un ordre, une blague, une menace, etc. C'est ce qu'on appelle la partie *méta* du message, son cadre ou son mode d'emploi, qu'il est essentiel de saisir si l'on veut bien communiquer. Dans un contexte linguistique (où l'on ne considère que des messages verbaux), on parle de métalangage* et, avec Roman Jakobson (1963), de fonction métalinguistique, pour désigner tous les mots ou les phrases qui depuis l'énoncé désignent et gèrent l'énonciation.

En bref, communiquer suppose toujours une métacommunication, qui indique aux autres dans quelle case, à quel niveau ou adresse ranger tel message (verbal, visuel ou comportemental). Cette spécification du cadre de nos échanges n'a pas besoin d'être toujours explicite : dans la plupart des cas, nos relations vont de soi et ne relèvent donc d'aucun métamessage particulier. Le cadre pose problème quand la communication devient pathologique et que les partenaires ne s'entendent pas sur la « ponctuation » hiérarchique de leurs échanges : dans le cas par exemple de la scène de ménage, chacun voulant avoir le dernier mot, l'échange en vient rapidement à porter sur le cadre même de l'échange (« Qui crois-tu être pour me parler sur ce ton ? ») ; dans le cas des négociations diplomatiques, ou syndicales, les futurs partenaires peuvent consacrer beaucoup de préalables à se mettre d'accord sur la composition des délégations et sur la forme de la table ; de même, l'enseignant en zone défavorisée devra parfois, avant de délivrer le contenu de son cours, négocier la forme et la place de celui-ci ; et l'on voit des malades mentaux refuser le traitement psychiatrique et prétendre soigner leur médecin (ce conflit relationnel ou cette hiérarchie enchevêtrée se trouvent plaisamment illustrés par Woody Allen dans son film *Zelig*)... Plus une relation devient pathologique et plus les questions de cadre ou de forme tendent à envahir le plan de l'argumentation et le contenu du message.

2. « Entrer dans l'orchestre »

Un deuxième éclairage de notre couple contenu-relation pourrait venir de la phrase de Gregory Bateson, développée par ses disciples de l'école de Palo Alto : « Communiquer, c'est entrer dans l'orchestre. »

Autrement dit, vous ne communiquerez pas si vous dissonez, ou si votre musique s'harmonise mal avec les partitions des autres et les codes en vigueur. Entrer dans l'orchestre, c'est jouer le jeu d'un certain code, s'inscrire dans une relation compatible avec les canaux, les médias, le réseau disponibles. Or ce réseau par définition nous précède, nous le trouvons beaucoup plus que nous n'avons à le créer.

Cela s'appelle aussi le *symbolique**, dont le meilleur modèle est le code de la langue que nous parlons. Il arrive certes qu'on refuse ce code, et cela peut engendrer l'autisme ; mais en règle générale, communiquer suppose qu'on adopte cet orchestre sans modifications excessives, et qu'on faufile sa voix ou son interprétation dans le jeu général. Il serait aussi vain de prétendre créer entièrement le code que, disons, de payer avec une monnaie qu'on aurait inventée : personne ne peut dire *ma* langue pas plus que *ma* monnaie, *ma* culture ou *mon* code ; dans ces domaines, la propriété privée ne marche pas. Et l'on appelle justement *symbolique* (après le psychanalyste Jacques Lacan) cet ordre qui précède chacun à partir d'un amont incalculable, que nul ne fabrique de toutes pièces et dans lequel on ne peut qu'entrer. Cela dévoile une autre contrainte de la communication ordinaire, qui est de « faire avec » plutôt que de créer, de composer en épousant le réseau disponible. *Avoir raison* se marquerait ici par une certaine résonance, ou une harmonisation au sein d'un réseau.

La métaphore de l'orchestre a un autre avantage, celui de s'opposer à l'image linéaire du télégraphe par laquelle Claude Shannon résumait classiquement le modèle des transmissions : émetteur-code-canal-message-récepteur. Le modèle de Bateson (auteur de *Vers une écologie de l'esprit* et l'un des pères de l'approche cybernétique en communication) est plus sensible aux causalités systémiques ou en boucle, ainsi qu'à la priorité de la relation sur le contenu de nos messages. Au moment d'envoyer un message, suggère-t-il, commençons par nous demander auprès de qui et sur quel instrument le « jouer ». La métaphore orchestrale nous rappelle les contraintes médiatiques et quasi écologiques qui pèsent sur toute pensée (les médias en général figurant l'écosystème ou l'orchestre de nos idées).

Mais à trop mettre l'accent sur l'impératif de bien communiquer, on favorise le *statu quo* ou l'ordre établi ; on peut trouver cette métaphore de l'orchestre trop « conservatrice » et souligner qu'il faut parfois oser changer, voire créer l'orchestre. Il arrive qu'une pensée très novatrice se pose, en marge du contenu de la doctrine, des problèmes d'intendance ou de relation : comment acheminer tel message dans les meilleures conditions, par quels médias, sur quel réseau ?... C'est ainsi que le Christ ne se contenta pas d'apporter à l'humanité un message capital (puisqu'il dure depuis vingt siècles), mais fonda concrètement le réseau de ses fidèles et de ses propagandistes avant de les quitter : « Tu es Pierre et sur cette pierre je bâtirai mon Église... ». « Catholique » veut dire étymologiquement « universel », mais en pratique l'Église ne parvient à cette universalité que là où pénètre et se maintient le réseau des canalisations romaines qui distribue sa « bonne nouvelle ».

Un autre exemple remarquable, plus près de nous, s'offre avec la doctrine de Freud. Plusieurs psychiatres à son époque s'occupent eux aussi de l'inconscient et de l'étiologie des névroses. Pourquoi la psychanalyse freudienne l'a-t-elle emporté avec cette force sur le marché des idées ou des systèmes de pensée, serait-elle plus « vraie » qu'une autre ? Indépendamment de l'évaluation difficile à établir du contenu de la doctrine, on remarque que Freud se sera donné plus de mal que son maître Charcot, par exemple, pour transformer sa doctrine en école, et pour organiser celle-ci de l'intérieur en la dotant d'une hiérarchie, de revues, de congrès internationaux et de multiples relais. Les idées ne poussent pas comme des fleurs, et elles ne se reproduisent pas hors sol. Les doctrines gagnantes sont en général celles qui règlent d'abord des questions d'intendance, de milieu, de média, de réseau. Sans rampe de lancement ou (métaphore moins guerrière) sans orchestre, le meilleur des messages demeure lettre morte.

3. La fonction phatique

Proposée par Roman Jakobson, l'un des pères de la linguistique structurale, cette importante notion mérite sans doute de venir en tête dans son célèbre tableau des six fonctions de la communication. Jakobson appelle phatique* la fonction de mise en contact, ou d'établissement de relation, à partir d'un exemple assez faible : « Allô, vous m'entendez ? », formule par laquelle on vérifie au téléphone le bon fonctionnement de la ligne ou du canal. Nous parlerons par extension de communication phatique chaque fois que le sujet veut s'assurer de la relation, indépendamment du contenu du message. À partir de quoi les exemples prolifèrent :

— quand on « parle pour parler », pour occuper la ligne ou accaparer le créneau. En communication politique, les candidats n'ont pas forcément un programme, ni tellement à nous dire, mais l'important pour chacun est d'apparaître à la télévision et dans les journaux, et de saturer les sites accessibles en tentant d'empêcher ses rivaux d'accéder aux mêmes plages audiovisuelles... ;

— la vie sociale fourmille de messages à faible valeur informative, mais à grande valeur relationnelle : faire la causette chez le commerçant, présenter ses vœux ou ses condoléances aux baptêmes, mariages et enterrements ; lors d'un dîner entre amis, éviter à tout prix la panne, fatale au narcissisme social, appelée « un ange passe », et toujours tenir pour cela en réserve un bon mot ou quelques sujets qui ne fâchent personne, en bref empêcher le silence, aveu flagrant d'impuissance conviviale.

La communication phatique a fait exploser depuis 1997 la vente des téléphones portables. Elle n'a rien d'original ni de très personnel à transmettre, et sa valeur d'information (dans la carte de vœux entre parents ou le coup de fil amoureux) peut égaler zéro. Mais ces contacts renouvelés attestent qu'on est là pour l'autre et qu'on lui marque sa présence ; en préalable à tous nos échanges, il convient d'en passer par une identification mutuelle et une déclaration d'intérêt réciproque. Les signaux phatiques s'accumulent en marge de nos phrases dans les indices paraverbaux du corps, quand au cours d'une conversation, par exemple, celui-ci émet tout un faisceau de gestes et de micromessages pour cadrer et soutenir le message principal de la voix ; le phatique culmine dans l'intonation, mais aussi dans ces opérateurs si forts de mise en contact que sont la poignée de main, le sourire, le hochement de tête et surtout le regard.

On voit par ces exemples que la « fonction phatique » est à vrai dire fort large. Et il est trop vrai que celle-ci peut marquer la déchéance d'une communication qui n'accède pas au stade proprement informationnel, dans le cas de l'homme politique qui se contente d'« occuper le terrain », du professeur qui bavarde au lieu de faire cours, de l'envoyé spécial exhibé au journal de 20 heures, ou d'une campagne de publicité lancée au mépris de toute valeur de vérité... Mais les mêmes exemples nous rappellent que l'homme ne vit pas seulement de contenus d'informations ni même de vérité, mais d'abord d'excellentes relations ; et que, pour étendre ou protéger celles-ci, il arrive qu'on recoure au mensonge, voire au déni de réalité. Pour l'amoureux, pour le fidèle d'une secte, pour le supporter d'une équipe, le militant d'un parti ou le patriote exalté... à quoi bon des informations au contenu vérifiable quand c'est la relation et la chaleur communautaire qui comptent ?

4. *Cure* et *care* en médecine

La pratique soignante ou la relation *clinique* seraient-elles devenues subalternes ? Le progrès technique semble avoir rendu le contenu de l'acte médical plus visible et valorisant que la relation ; et le chirurgien ou le médecin détiennent plus de prestige que l'infirmière. A l'article *« Cure »* de son ouvrage *Conversations ordinaires* (Gallimard, 1988), le psychanalyste anglais Winnicott rappelle que ce mot qui veut dire « traitement » et « guérison » dérive de *care*, c'est-à-dire « soin, intérêt, attention ». Et il note qu'aujourd'hui *cure* est plus recherché et prisé que *care*. À juste titre sans doute : qui ne préfère guérir à une longue succession de soins ? Or le rôle du médecin est différent dans les deux cas : *care* fait de lui un travailleur social, voisin du pasteur ou du prêtre, tandis que *cure* le rapproche du technicien. Évolution normale d'une médecine qui devient chaque jour moins magique, plus scientifique et « performante » ? Mais toutes les maladies ne sont pas curables, et tous les symptômes ou demandes de soins ne renvoient pas à des maladies réelles. Aux deux extrêmes du symptôme, psychosomatique ou incurable, la réponse appropriée est *to care* plutôt que *to cure*. Un malade du sida ou un vieillard ont besoin de soins « palliatifs », qui ne peuvent les guérir ; il faut bien cependant les accueillir et s'occuper d'eux en attendant.

La même remarque s'appliquerait à l'école : l'enseignant doit-il se concentrer sur le contenu des programmes ou sur la relation pédagogique ? Les deux bien sûr, mais il n'y a pas de règle pour leur dosage, qui relève toujours d'une situation ou d'un « orchestre » particulier. Winnicott ajoute que le patient, comme l'élève, a besoin de considérer l'autre comme fiable. Ce terme suppose l'induction d'une relation de confiance, mais les fiabilités humaines et mécaniques sont très différentes. Fiabilité ne veut pas dire *infaillibilité* mais au contraire, selon une expression souvent citée de Winnicott, *good enough*. Car la valeur d'une relation ne se mesure pas arithmétiquement ; et rechercher la perfection dans le domaine de la relation (enseignante, clinique, politique ou sociale en général) risque de tuer celle-ci. La mère *good enough*, pour évoquer brièvement une célèbre formule du psychanalyste, est celle qui facilite une plus grande autonomie de son enfant, y compris en permettant à celui-ci de la critiquer. De même, un critère de la bonne santé peut consister chez le patient à transgresser les normes posées par le médecin. Et les professeurs savent bien qu'un étudiant qui s'oppose à eux n'est pas nécessairement voué à l'échec. Contrairement à la guérison, dont les marques sont claires, il n'est pas facile d'évaluer objectivement, de mesurer, ni de prescrire de bonnes relations de soin. Celles-ci échappent à la science et relèveraient plutôt de l'art, ou des chances d'une interaction par définition non programmable.

5. La relation invisible

Cette dernière remarque conduit à souligner que le milieu, ou le monde des relations, est par définition peu visible. On isole, on discute, on corrige un contenu plus facilement qu'une relation. Et celle-ci nous échappe d'autant mieux qu'elle est agissante.

Un orateur concentre par exemple sa pensée et sa vigilance critique sur le fil logico-verbal de son discours, mais dans le même temps son corps, le débit et l'intonation de sa voix, sa posture et tout ce qui relève de la cinétique (son « cinéma gestuel ») émettent en parallèle un flot d'informations et de signaux qu'il contrôle assez peu. Nous émettons des messages-cadres dont la conscience nous demeure périphérique ou latente ; et ce que les autres perçoivent immédiatement de nous, c'est d'abord ce qui nous échappe. C'est ainsi qu'en filant une conversation nous adoptons parfois symétriquement et comme en miroir les gestes, et jusqu'à la voix, de l'interlocuteur sans en prendre vraiment conscience. Et c'est cela communiquer, ou entrer dans l'orchestre : se mouler, épouser le rythme ou l'attente de l'autre. L'homme est un miroir pour l'homme, et cela s'appelle le mimétisme. *Je suis* conjugue la première personne du verbe *être* avec celle du verbe *suivre*, et quel moyen avons-nous d'exister ou de grandir autrement ?

6. Le paradoxe

Les opérateurs non verbaux du contact accompagnent donc le message et permettent d'améliorer sa réception. C'est ce qu'on appelle la *redondance**, un terme qui contient l'idée de répétition. En général, nos messages sont polyphoniques, envoyés sur plusieurs canaux ou selon plusieurs codes à la fois, ce qui les garantit contre le bruit, l'entropie* ou la perte d'information durant le voyage. Toute communication réussie correspond au voyage et à la rencontre de deux formes à travers l'océan du bruit.

C'est ainsi qu'on insère par exemple une lettre ou un message dans une enveloppe protectrice, et que l'adresse de la suscription s'y trouve rédigée de trois manières différentes : en lettres, avec les chiffres du code postal, lui-même répété dans la traduction en code-barre de la lecture optique. On pourrait comparer ces précautions d'enveloppe aux signaux suprasegmentaux que nous évoquions, et qui eux aussi définissent l'adresse ou le niveau de réception souhaitables pour nos messages : sérieux, plaisanterie, exemple métalinguistique, etc. Normalement, ces signaux analogiques*, c'est-à-dire moins codés que ceux de la langue (selon la terminologie de Watzlawick), sont redondants par rapport au message verbal : la relation corporelle ou visuelle de nos gestes prépare, soutient et achemine le contenu verbal du message ; la *marge* (du comportement analogique) cadre le *texte* (de l'énoncé digital*) et le confirme. Mais ce qui converge dans une transmission saine peut toujours se mettre à diverger.

C'est le cas par exemple de la mère qui visite son fils psychotique à l'hôpital, lui ouvre ses bras ou dépose sur sa joue un baiser, « Mon chéri, quel bonheur de te voir ! », mais ses bras malgré elle se raidissent ou ses dents mordent. Bel exemple de *communication schizophrénisante* selon Watzlawick, où le contenu verbal du message se trouve, au direct de son énonciation, démenti par les messages-cadres supposés confirmer celui-ci. Il est difficile dans ces conditions de croire à la validité d'un tel message, et la réaction de défense du sujet ainsi traité peut être une défiance définitive à l'égard de la communication ou du monde symbolique en général.

Watzlawick propose d'appeler « paradoxes pragmatiques » de pareils *nœuds* dans la communication. Ce terme de paradoxe* a quelques sens faibles : message ou comportement bizarre qui va contre la *doxa*, c'est-à-dire l'opinion dominante, contradiction en général. Mais une contradiction est une diction contre une autre diction, quand par exemple A dit : « Tu mens ! » « Non, c'est toi le menteur ! » rétorque aussitôt B. Nous décrirons cette contradiction comme horizontale, entre deux sujets parlants.

Et nous réserverons le terme de paradoxe à une contradiction verticale, non entre deux sujets affrontés, mais entre l'énoncé et l'énonciation qui donnent son *relief logique** au message, c'est-à-dire entre ce qu'il *montre* et ce qu'il *dit*, entre la marge comportementale et le texte verbal, entre les aspects de relation et de contenu du « même » message. Le paradoxe surgit quand le contenu réfute, ou se trouve réfuté par, les signaux normalement convergents ou périphériques de l'orchestre. Par exemple, quand on prétend présenter ses vœux les plus sincères et affectueux au moyen d'une carte bon marché imprimée d'avance et timbrée en petite vitesse ; quand on affirme à table « C'était délicieux, vraiment… » en rendant l'assiette pleine ; quand on demande aux étudiants de ne pas tenir compte qu'on est le professeur et que ce qui importe vraiment c'est d'avoir des relations sincères et spontanées ; quand on crie « Soyez naturels » à ceux qu'on photographie ; quand on prétend parler « entre nous » et faire des confidences à une émission de grande écoute ; ou si je vous demande à l'improviste de ne surtout pas penser à Victor Hugo, etc.

Dans chaque cas, il est clair qu'un message est posé et qu'une composante de celui-ci (un métamessage) l'annule ou le contredit aussitôt. On a schématisé ce cas de figure par le plus célèbre des paradoxes, celui d'Épiménide le Crétois qui déclare que « tous les Crétois sont des menteurs », où il est aisé de voir que la relation d'énonciation, dénoncée *en direct* comme mensonge par l'énoncé lui-même, rend celui-ci indécidable : s'il ment il ne ment pas, mais s'il ne ment pas derechef il ment — indéfiniment.

Le paradoxe consiste à cliver verticalement le relief logique de nos énoncés en deux parties incompatibles. Pour conclure et retrouver notre point de départ, tout se passe comme si une contradiction intenable opposait le niveau et le métaniveau du message, ses aspects de contenu et ses aspects de relation.

« Je mens »
L'énoncé supra
est un mensonge

FORMULE DU PARADOXE D'ÉPIMÉNIDE LE CRÉTOIS

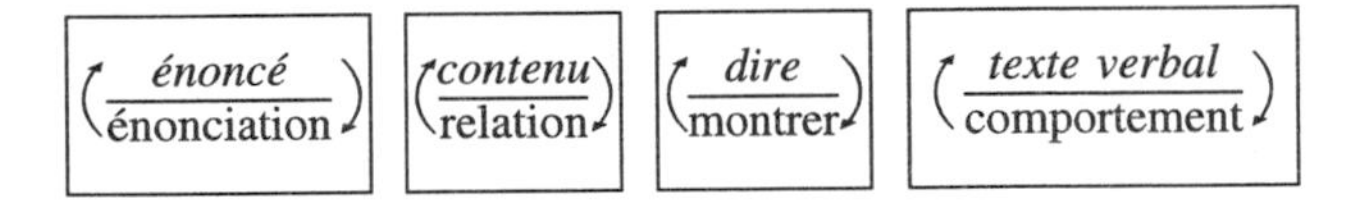

FORMULE DU PARADOXE PRAGMATIQUE

Dans chaque cas, il y a paradoxe dans la mesure où une relation nécessaire mais contradictoire s'instaure de part et d'autre de la barre de fraction. Mais si le paradoxe peut enfermer la communication dans des cercles vicieux, il est aussi, selon Watzlawick et quelques autres, le sel de l'esprit, voire l'occasion de certains *recadrages* d'où dépend le succès de la cure (dans le cadre thérapeutique) ou plus généralement la créativité intellectuelle et sociale.

III / Faire signe

On pourrait soutenir à bon droit que l'homme descend davantage du signe que du singe, et qu'il tient son humanité d'un certain régime symbolique, ou signifiant. Nous vivons moins parmi les choses que parmi une « forêt de symboles », comme dit Baudelaire dans le célèbre sonnet des *Correspondances*, et ceux-ci nous rendent le monde familier en interposant entre lui et nous un ordre des signes, plus maniable et léger que celui des choses. L'empire des signes double ainsi notre monde naturel ; la sémiosphère (qui englobe la culture en général) *contient* la biosphère (la nature, le monde animal, végétal...). Par tout un réseau de représentations codées et de signes qui sont autant de pare-chocs opposés à la dureté du monde, nous enveloppons, nous filtrons et du même coup nous maîtrisons le réel extérieur.

1. Le tournant sémiologique

Ferdinand de Saussure fit le premier l'analyse de la langue comme structure (autour de 1910). Cette analyse inspira au tournant des années cinquante l'étude structurale de la culture, sur le modèle de la langue. L'idée est d'extraire de la cuisine, du vêtement ou de la parenté des signes binaires ou oppositionnels, comparables à ceux que l'analyse découvre dans la langue ; dans chaque domaine ainsi découpé dans la culture, les hommes échangent des signes selon des codes qui peut-être sont des langages.

Cet élargissement, baptisé *sémiologie*, court à la rencontre des sciences de l'information et de la communication, conçues comme l'étude de l'échange, de la production et de la circulation des signes en général au sein d'une culture. Telle est du moins la vision que propose Lévi-Strauss dès son texte de 1950, *Introduction à l'œuvre de Marcel Mauss*, qui fut à l'origine des études structuralistes. Il accomplissait ainsi le vœu formulé par Saussure dans l'introduction à son *Cours de linguistique générale* : « On peut donc concevoir une science qui étudie la vie des signes au sein de la vie sociale. [...] Nous la nommerons sémiologie. [...] [Elle] nous apprendrait en quoi consistent les signes, quelles lois les régissent. [...] La linguistique n'est qu'une partie de cette science générale. Les lois que découvrira la sémiologie sont imputables à la linguistique, mais celle-ci se trouvera ainsi rattachée à un domaine bien défini dans l'ensemble des faits humains. » Selon cette prévision laissée par le maître de Genève à l'état de programme, *sémiologie* au fond voulait déjà pleinement dire *communication*, laquelle n'étudie pas les échanges naturels mais les échanges codés et sémiotisés.

La sémiologie cherche le fonctionnement des signes sur le mode du système. Un élément du système ne signifie pas par adéquation à telle chose ou événement, mais par rapport à sa relation d'opposition ou de distinction au sein de la structure. C'est la grande idée phonologique : le fonctionnement des sons est de caractère discret et oppositionnel. « Dans la langue il n'y a que des différences », affirme Saussure : les phonèmes par exemple, soit la plus petite unité sonore, sont discontinus, un B n'est pas un P, et entre les deux *il n'y a pas de troisième terme*. L'ordre binaire ou digital repose non sur la valeur intrinsèque des éléments, mais sur leur seule position dans le système. Le premier geste de la sémiologie est donc de décrocher les signes de l'adhérence aux choses pour les penser selon le tableau des oppositions pertinentes, c'est-à-dire prévues par le code.

La structure par excellence est ainsi celle de la langue, où les mots n'adhèrent pas aux choses (sauf dans le cas très résiduel des onomatopées), mais signifient par opposition. Cette conscience sémiologique du système a pénétré très profondément notre culture ; et elle a convergé vers la fin des années cinquante avec l'analyse des objets de l'industrie, qui comme les signes linguistiques reçoivent une forme stricte, obéissent à un code et sont reproduits identiquement à la chaîne. La sémiologie accompagnait par ce biais l'essor de la culture de masse dont les productions stéréotypées et standardisées semblent agencées selon quelques combinatoires repérables.

2. Les deux courants de la sémiologie

En construisant une sémiologie sur le modèle de la linguistique, les structuralistes entendaient constituer en sciences rigoureuses les sciences humaines qui portaient sur des échanges plus flous que ceux de la langue. La référence à Saussure et à la linguistique, pilote dans les années cinquante-soixante, servit donc de garantie scientifique et fit de la sémiologie structurale une discipline porteuse et attrayante.

Il est aisé avec le recul de distinguer dans cette mouvance sémiologique deux grands courants. Une première voie de recherche fut notamment frayée par Roland Barthes, auteur en 1964 des *Essais de sémiologie*. Il renversait dans cet ouvrage la hiérarchie proposée par Saussure en remarquant que, si la linguistique était science pilote, la sémiologie ne pourrait se développer qu'en empruntant les méthodes de celle-ci.

Il proposait donc une sorte de superlinguistique, appliquée à des systèmes de signes tels que la mode, le texte littéraire, la culture de masse ou les mythologies empruntées à la consommation de masse (parmi lesquelles la lessive Omo, l'abbé Pierre ou la DS Citroën...). Barthes traquait avec jubilation le stéréotype, soit la façon dont l'artefact culturel redevient nature dans la conscience des usagers ou se change en discours d'avance disponibles. Il suggérait que la tâche du sémiologue est d'élever le *muthos*, discours muet ou confus, à l'explicitation seule logique du *logos*. Les communications de masse comme le vêtement, la cuisine ou la publicité demeurent ignorantes d'elles-mêmes, mutiques et mystifiées, et elles appellent le déchiffrement de la raison langagière. Ce *logocentrisme* postule que plus nous sommes cultivés et plus nous nous servons du langage, « interprétant universel » et signifiant par excellence. En vertu de ces axiomes, on a prétendu que la cuisine était structurée comme un langage (avec ses oppositions pertinentes du cru et du cuit, du rôti et du bouilli ou du sucré et du salé...), et en psychanalyse Lacan a soutenu la même thèse pour l'inconscient. Tout un courant logocentriste voulut ainsi retrouver du langage dans nos communications non langagières (en peinture, dans la cuisine, le mobilier, le « système de la mode » ou l'inconscient...). Mais les étages « inférieurs » des performances sémiotiques gagnent-ils à être traduits par la parole ? Un peintre n'a pas d'idées verbales mais des schèmes plastiques, un musicien, des idées musicales, et un danseur travaille à partir de représentations spatiales, motrices et musculaires... Quel besoin auraient-ils de remonter au *logos*

(= langage, calcul, raison) comme à la performance suprême ? Les études de communication nous enseignent au contraire la diversité des canaux d'échange et de signification, non réductibles au pur langage. Un autre courant a donc voulu rompre avec ce logocentrisme, et il a plongé pour cela dans les sémiotiques « inférieures ». Comment fonctionnent les signes en dehors du langage ? On peut distinguer un régime de l'indice et un autre de l'icône, inassimilables aux seules performances logico-langagières.

3. La sémiologie selon Charles S. Peirce

Nous demandions où s'arrêtent les choses et où commencent les signes, où passe au juste la frontière entre biosphère et sémiosphère, entre nature et culture. Toute tentative pour tracer cette frontière suscitant des difficultés, une façon élégante de répondre est de soutenir que, pour nous, tout est sémiotique. C'est la position de Charles Sanders Peirce, auteur d'une philosophie des signes qui déborde largement la sémiologie saussurienne.

Pour Peirce donc, et dès la moindre de nos perceptions, tout est signe. Qu'est-ce que percevoir en effet, sinon découper une figure sur un fond, figure qui a une forme élaguée et déjà codée pour nous ? Connaître c'est reconnaître, selon des codes qui émergent toujours plus tôt que nous ne croyons. Mais cette réponse impose de préciser cette importante notion de code, qui est au cœur du sémiotique.

La définition classique du signe, apparemment très simple, posait que c'était « une chose mise pour une autre chose », *aliquid stat pro aliquo*. Saussure retravailla cette définition en posant que le signe relie un signifiant* (Sa) et un signifié* (Sé), aussi inséparables l'un de l'autre que le recto et le verso d'une feuille de papier. Découper dans le signifiant, c'est découper dans le signifié. Un autre linguiste inspiré de Saussure, Hjelmslev, a proposé le signifiant comme plan de l'expression et le signifié comme plan du contenu.

Peirce est parti d'un schéma triangulaire très différent de celui de Saussure (qu'il n'a d'ailleurs pas connu) : « Le rapport de sémiose désigne une action, ou une influence, qui est, ou qui suppose, la coopération de trois sujets, tels que le signe, son objet et son interprétant. Cette relation ternaire d'influence ne peut se laisser en aucun cas ramener à des actions entre paires. » Signifier suppose ici trois termes, et non seulement deux.

Cette définition proposée par Peirce éclaire notre question de la frontière entre le monde des signes et le monde naturel. Ce dernier en effet est le domaine des actions entre paires, telles que la relation stimulus/réponse, ou cause/effet, qui ne supposent pas de troisième terme. Si l'on me pousse, je peux tomber ; la poussée n'est pas sémiotique, c'est une pression énergétique qui entraîne une chute mécanique. En marge de cette séquence purement physique, il est probable que l'agressé interprétera (élaborera en signe) le geste de l'agresseur et le traduira en termes de violence, de vengeance ou de mauvaise plaisanterie.

L'intérêt de l'approche de Peirce, c'est que, loin d'être émis par une personne, le signe peut émaner de n'importe quoi et ne se ramène nullement à la classe étroite des messages. Le ciel rouge m'indique qu'il fera beau demain, sans y mettre lui-même aucune intention. Le récepteur élabore ce rapport de sémiose, mais l'émetteur peut être l'univers en général. Cette sémiologie élargit donc les phénomènes de communication très au-delà des messages émis consciemment de personne à personne — un schéma auquel certains voudraient encore borner nos études.

La sémiologie peircienne est illimitée (tout objet, perception ou comportement peuvent fonctionner comme signes), et elle est vivante, ou dynamique. Le ressort de cette vie, ou de cette relance indéfinie de la sémiose, tient à ce que Peirce appelle l'*interprétant*, notion obscure à ne pas confondre avec le sujet récepteur : l'interprétant serait plutôt le sens, qui peut être une idée, une réponse émotionnelle, une action ou un comportement à travers lequel tel signe se trouve momentanément traduit, cette interprétation pouvant toujours être reprise à son tour dans la chaîne des significations. Nous dirons, au risque de simplifier Peirce, que l'interprétant est le point de vue permettant de rapporter tel signe à tel objet. Ainsi, pour reprendre notre exemple, *du point de vue de* la météorologie un ciel rouge indique le beau temps. Mais un peintre indifférent aux considérations climatiques peut peindre un ciel rouge pour d'autres raisons. Selon l'interprétant, tel individu pourra figurer un Français, un Auvergnat, un représentant du sexe mâle, ou des rentiers, ou des joueurs de dominos, ou des diabétiques, etc. Nous mettons dans chaque cas en jeu un triangle qui nous dit sous quel aspect rapporter tel signe à tel objet : le domaine du signe est celui de cette « tiercéité ».

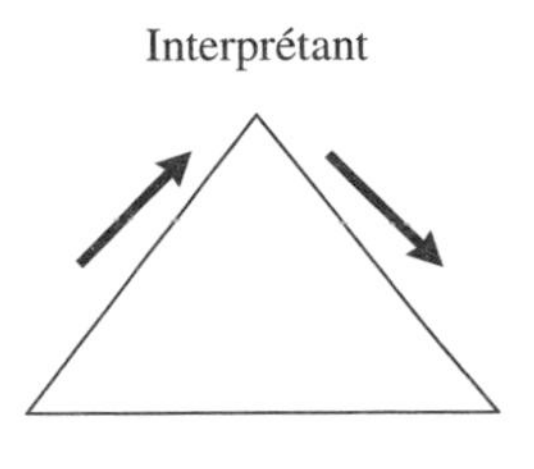

Signe *(representamen)* Objet

Le triangle sémiotique de Peirce qualifie la « tiercéité » de la sémiosphère, ou le processus informationnel. Par contraste, un processus énergétique se contente d'une « relation entre paires ».

Stimulus ——————➤ Réponse
Cause ——————➤ Effet

Ainsi le cadre tracé par Peirce est le plus large que nous puissions concevoir pour la vie des signes, qui ne sont pas seulement linguistiques mais également naturels, et sans émetteurs. Le schéma saussurien postulait un émetteur et un destinataire ; chez Peirce nous allons de signe en signe, tout « objet » pouvant servir lui-même de signe pour un autre. La chaîne demeure ouverte à droite autant qu'à gauche du schéma triangulaire, sans que l'activité sémiotique touche jamais à un terme final ou à un sol : la meilleure illustration de cette relance est fournie par la recherche d'un mot dans un dictionnaire, qui ne peut se faire qu'à travers d'autres mots, lesquels à leur tour renvoient à d'autres définitions, indéfiniment.

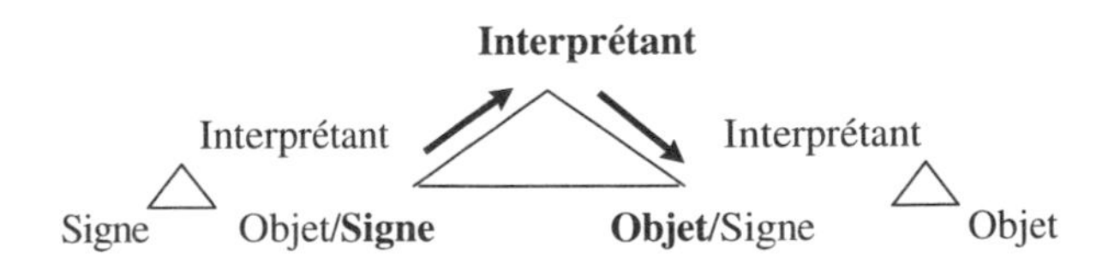

4. Indices, icônes, symboles

L'un des apports remarquables de Peirce est sa distinction des trois façons fondamentales de faire signe : l'indice, l'icône et le symbole. Nous les enchaînerons chronologiquement et logiquement dans cet ordre (non prévu par lui).

Poser qu'au commencement était l'indice, c'est mettre à la base de notre sémiosphère les traces sensibles ou les échantillons des phénomènes. L'indice est défini par Peirce comme *a fragment torn away from the object*, un signe arraché à la chose ou, précise-t-il ailleurs, « réellement affecté par elle ». Dans le symptôme médical ou météorologique, dans le cas des empreintes, des traces physiques ou des dépôts, la relation de la chose à son signe est du tout à la partie, ou de cause à effet. Directe donc, ou sans code, sans la médiation ni la mentalisation d'une intention, sans distance représentative ni coupure sémiotique*. Cette continuité ou cette contiguïté naturelle des indices avec ce qu'ils indiquent les placent à la naissance du processus signifiant ; ce sont eux qui viennent d'abord, dans l'acculturation de chacun, sur le mode de la communauté et du contact. L'indice est le signe qui attache (le signe à la chose, et les sujets entre eux) ; et de fait nos relations, à distinguer soigneusement des contenus de nos communications, sont toutes capitonnées d'indices. Pôle chaud ou « attachant » dans la sphère des signes, l'indice est ce qui se montre, s'exprime ou agit sur le mode de la présence réelle : il ne représente pas la chose ou le phénomène, il les manifeste en direct ou en propre. Dans une conversation, par exemple, l'intonation, les regards, la posture ou la plupart des gestes constituent cette couche indicielle qui gère la relation et facilite l'acheminement d'éventuels contenus d'information.

On quitte cette enfance du signe avec l'icône (l'image en général), qui opère un premier détachement. La relation d'une image avec ce qu'elle représente s'effectue encore par ressemblance ou dans la continuité d'une analogie au sens large, mais le contact est rompu : l'artefact iconique s'ajoute au monde, alors que l'indice est prélevé sur lui. Cette coupure sémiotique correspond donc à la coupure anthropologique au sens large : même domestiqués, les animaux sensibles aux indices ne s'intéressent pas aux tableaux, aux photographies ni même à leur reflet dans les miroirs. Cette simple remarque permettrait d'affiner et de problématiser la notion, à première vue familière mais en vérité combien construite et complexe, de *ressemblance*. Car je peux trouver ressemblante ma photo d'identité (elle doit l'être par définition), mais ce petit carton glacé ressemble beaucoup plus à n'importe quel autre carré de carton qu'à mon visage. Quelle éducation il a fallu pour admettre la moindre équivalence entre une chair vivante, tiède et tridimensionnelle, et quelques centimètres de papier froid et plat ! En projetant un objet du monde physique dans un autre, le rapport iconique d'analogie* conserve certes quelques traits de l'original, mais il sélectionne sévèrement ces données pertinentes et les reconstruit dans un matériau et à une échelle qui ne doivent plus rien au phénomène représenté : pierre sculptée, toile des tableaux, papier des dessins, des photographies, des plans du métro ou des cartes de géographie, verre des vitraux ou métal des panneaux routiers « virage dangereux » ou « chute de pierres »..., toutes ces icônes ont en commun de conserver un élément descriptif ou schématique d'analogie avec leur référent, en sorte qu'un étranger peut sans trop de mal les comprendre. Quoique moins immédiate que les indices, la couche iconique de nos communications saute assez bien les frontières ; et c'est pourquoi certaines images, d'actualité (CNN) ou de fiction (Hollywood, Mickey), sont aujourd'hui produites à une échelle directement planétaire.

Avec les symboles enfin, ou ce qu'on appellera en mariant Peirce à Lacan l'« ordre symbolique », qui regroupe les signes proprement arbitraires (c'est-à-dire non motivés), la relation continue de ressemblance autant que la contiguïté se trouvent rompues : c'est le cas pour l'immense majorité des signes linguistiques, pour le panneau routier « sens interdit » ou « interdiction de stationner », le symbolisme chimique ou algébrique, donc au-delà des lettres les chiffres, et le domaine du numérique en général. À la différence de l'image, le signe symbolique se structure par exclusion et repose donc sur une secrète négativité : il pointe sur le mode (digital) du tout ou rien ; entre deux phonèmes que la langue articule comme entre les zéros et les uns du langage binaire des machines, il n'y a pas de troisième terme. La présence de tel signe y signifie l'absence de tous les autres à la même place. Ce qui suppose que cette place soit étroitement mesurée : pixel allumé ou éteint de nos écrans cathodiques, lettre de l'alphabet dans un texte, décharge d'un neurone qui transmet ou retient l'excitation, « porte » ouverte ou fermée d'un circuit informatique, rouge ou vert des feux de croisement..., dans chaque cas le *lisible* a rabattu le *visible* sur une seule dimension, chronologique ou logique.

La tripartition dont nous venons de rappeler le principe est clairement orientée par une tendance à l'abstraction croissante : de l'indice tridimensionnel, ou chose parmi les choses, à l'ordre symbolique linéaire, en passant par les icônes généralement bidimensionnelles. Le symbolique, et plus encore le numérique, correspondent au plus grand effort ; le sommeil et son corrélat le rêve, où la pensée verbale se change en un flot d'images toutes mêlées d'indices, à la moindre de nos dépenses psychiques.

Les trois couches sémiotiques que nous venons de distinguer se laissent assez bien figurer par une pyramide encadrée de deux flèches :

La pyramide sémiotique

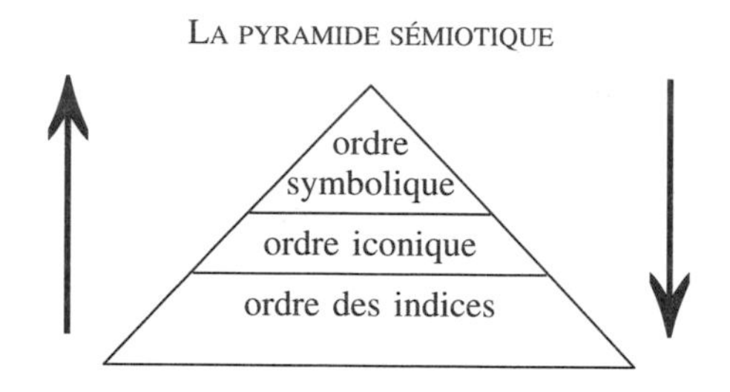

Pour penser, il faut une pointe. Et c'est ainsi que la philosophie traditionnellement logocentrique a toujours réservé les performances de la vraie connaissance au sommet « symbolique » de notre pyramide (les images, et *a fortiori* les indices, « ne pensent pas »). La flèche de gauche indique donc le chemin ascendant de l'apprentissage ou de la culture, mais d'une culture assez particulière car très logocentrique : la nôtre ; celle de droite, la « régression » (terme psychanalytique) du sommeil et des moindres articulations du processus primaire*, mais aussi des séductions de la culture de masse, et encore de cette chose énorme : l'art, la poésie et la fonction esthétique en général, aimantés par la figuration, et en deçà par la recherche des contacts perdus.

Dans la tradition logocentrique, bien attestée de Platon à, disons, Lacan ou aux performances numériques de nos ordinateurs, l'accès au logos (à la fois langage, calcul et raison) est présenté comme la condition de la connaissance par excellence ; l'image, ou comme on dit en psychanalyse la *figuration*, n'y constituant qu'un degré intermédiaire, une tentation sensible, séjour dans la caverne ou régression. C. S. Peirce ne semble pas partager cette philosophie traditionnelle quand il affirme pour sa part que « l'icône est la façon la plus parfaite de représenter une pensée ». De fait l'image, sur notre pyramide, se trouve placée au centre ou au carrefour des autres façons de faire signe ; de même elle tend, avec l'essor des écrans et en général de notre vidéosphère, à prendre une position centrale dans nos communications de masse. L'iconophilie manifestée par Peirce apparaît donc comme un motif supplémentaire de sa modernité.

5. La clôture sémiotique

La sémiologie est donc une science de la culture plutôt que de la nature ou, mieux, une science du passage de la nature à la culture. Partout où s'étend le monde de l'information ou de la sémiosphère, nous avons toujours la possibilité — sinon le droit — d'ignorer un signal. À la différence du monde physique que nous ne pouvons pas *ne pas* subir, l'information nous laisse le choix de la réponse, une liberté entre les interprétants : elle constitue ce que nous pouvons toujours laisser tomber (chapitre VI). La sémiosphère commence au-delà de l'énergie, elle est d'un autre ordre.

Par voie de conséquence, nous dirons que le monde du signe recouvre celui de notre liberté. Le pouvoir de recul, le pouvoir de traitement supposent un espace de jeu et d'interprétation, c'est le troisième sommet du triangle peircien (page 33), qui médiatise la relation du signe et de son objet. Cet espace de médiation symbolique ou sémiotique mesure notre liberté humaine, même si c'est aussi le monde du code et de la convention. La sémiosphère est comme une digue opposée à la brutalité des choses ; plus nous vivons dans les signes et moins les choses mordent sur nous. La culture serait précisément cela : la substitution du logiciel doux au matériel dur. Les signes ne sont pas inertes, ils nous servent à *contenir* le réel, aux deux sens de ce verbe remarquable qui veut dire à la fois « mettre à distance » et « envelopper ».

L'*origine des manières de table* par exemple, pour citer un titre de Lévi-Strauss, avec ses règles de disposition des différents verres, couverts, assiettes, l'ordre des plats, etc., ne vise-t-elle pas à contenir la pulsion orale primaire et tous ses dangers ? De même les règles de mariage empêchent les familles de s'écraser sur elles-mêmes et de fusionner. En prohibant l'inceste, explique Lévi-Strauss, les sociétés instituent la circulation des femmes hors de la maison, et la loi de l'échange en général, sociale par excellence. Partout dans le monde de la culture, qui est celui d'une combinatoire codée pourvoyeuse de reconnaissance et de sens, insiste donc cette exigence d'articulation, de détachement, ou cet espace de jeu qui commence avec l'interprétation et hors duquel il n'y aurait que fusion, invasion violente ou chaînes de causes et d'effets. Qu'il est reposant d'entrer dans un monde de conventions ! Même si les protocoles, les lois ou les codes semblent parfois aliénants — comme ceux de la politesse —, ils servent à retarder l'inéluctable violence du réel (qui, avec la mort, aura tout de même sur chacun le dernier mot).

Type *et* token

Le rapport de convention se confond donc avec l'espace de la liberté proprement humaine. La convention est une façon de nommer des choses différentes de manière homogène. La distinction proposée par Peirce entre *type* (la catégorie) et *token* (l'occurrence singulière) montre que sémiotiser, c'est imposer un type invariant à des tokens empiriques. Ce type ne se trouve nulle part dans la nature, mais il permet de réunir les tokens toujours uniques et différents de l'expérience par la médiation d'un code. C'est lui qui apporte un filtre, qui pose une grille simplificatrice sur les phénomènes pour les rendre décidables. Nous pouvons par exemple articuler de bien des façons les phonèmes de la langue, selon les accents, les défauts de prononciation, mais si nous avons intégré l'invariant (l'*interprétant*) structural du code, nous reconnaîtrons sans peine les mots de la chaîne sonore.

Les notions de signe et de code appellent donc celle de structure, « un modèle construit à travers des opérations simplificatrices, qui permettent d'unifier des phénomènes divers d'un même point de vue ». Cette définition proposée par Umberto Eco regroupe quelques mots clés : tout signe est structurel, toute structure est une combinaison de signes, lesquels élaguent et simplifient les propriétés naturelles des choses. Faire signe consiste toujours en un acte d'économie et de simplification. Structuralisme et sémiotique vont de pair.

Deux traits remarquables du signe méritent encore d'être soulignés, l'*abréviation* et l'*idéalité*. Le premier avantage du signe est l'abréviation. Coder c'est abréger, un signe est toujours plus bref que la chose à laquelle il renvoie. Soit l'exemple typique de la carte, qui *n'est pas le territoire* ; beaucoup — voire infiniment — plus simple que celui-ci, elle le rend du même coup maniable et décidable. *Less is more* (selon le mot célèbre de Nicholas Negroponte, qui l'empruntait d'ailleurs à l'architecte Mies van der Rohe), l'information est une grandeur négative, une soustraction infligée à la complexité du réel.

Une autre grande fonction du signe est la promotion idéalisante du token au type. Les variations individuelles dans l'émission ou la réception des messages ne sont pas pertinentes au niveau du type, qui stabilise et standardise les phénomènes par élagage des accidents singuliers. Tout code fonctionne ainsi comme un facteur d'ordre et de reproduction : il permet la répétition d'un type idéal ou inaltéré à travers ses différentes occurrences.

Autonomie de la sémiosphère

C'est l'autre nom de notre *clôture sémiotique*. Le fonctionnement des signes suppose que nous mettions entre parenthèses leur référence. Les signes s'articulent loin des choses, et sans elles. Dans le schéma triangulaire du signe, de l'interprétant et de l'objet, ce dernier n'est d'ailleurs pas une chose, mais une idée. Le monde des choses correspond à notre biosphère, dont la sémiosphère a émergé. Elle en traite, sans lui être physiquement liée. C'est ainsi que nous pouvons signifier mille choses qui n'existent pas, parler du futur, nous représenter des licornes, disserter sur le prince Hamlet et la cour d'Elseneur… Il n'y a que dans la sémiosphère que nous pouvons jouer, échafauder des hypothèses, faire des fictions, multiplier *les* mondes alternatifs ou virtuels loin des contingences du seul monde réel.

C'est sur cette *critique de l'illusion référentielle* qu'est précisément fondée la sémiotique. Le monde des signes n'est pas celui des choses, et jouit par rapport au monde réel d'une autonomie relative. En dédoublant le monde, la sémiologie aura aiguisé notre esprit critique. Elle casse l'illusion référentielle et les évidences naïves de la « nature » ; dissolvante, elle nous révèle la contingence de notre culture, en pointant sous les infinies séductions de la représentation moderne la construction du stéréotype social, les ruses de la loi et la trame inlassable des codes.

IV / Acheminements du sens

Les trois catégories de l'indice, de l'icône et du symbole offrent une utile classification des multiples façons de faire signe, mais on évitera de les plaquer mécaniquement sur les phénomènes de communication. La plupart de nos messages combinent librement ces couches sémiotiques, et le sens qui en résulte est le plus souvent polyphonique ou, comme dit Bateson, orchestral.

Un orateur prend soin d'articuler ses phrases ; par son costume, ou le logo qui orne son pupitre, il revendique une certaine image. Mais, en marge de ces signaux symboliques-iconiques, sa voix et sa posture émettent quantité de signaux indiciels (chapitre III) qu'il maîtrise inégalement ; et notre attention de récepteur, notamment face à la loupe grossissante du petit écran, aura tendance à privilégier les marges du texte pour y traquer le symptôme, voire l'inconscient du message. Il semble en pratique assez difficile de garantir l'acheminement sans distorsions d'un discours ; lors de la conférence de presse d'un haut personnage, ses assistants ont soin d'en distribuer la copie aux journalistes, mais sans pouvoir fixer jusqu'au détail le sens des indices que ceux-ci ne manqueront pas de cueillir au fil de l'énonciation. Il n'y a pas de transmission sans traduction de l'énoncé, sans création continuée du sens le long des maillons de la chaîne ; et le téléspectateur retranché dans sa sphère domestique prend un malin plaisir à pulvériser le cours majestueux du message en une collection de curiosités indicielles.

L'émetteur traitera comme bruit ces signaux qui fourmillent en marge du propos principal, tandis que les récepteurs iront chercher dans cette marge errante l'essentiel de leur information, en renvoyant le discours à la catégorie de la langue de bois. La distinction de l'énoncé et de l'énonciation se superpose assez bien avec celle de la figure et du fond (appliquée par Pierre Babin aux phénomènes que nous discutons ici), et il arrive que leur hiérarchie se renverse en cours de transmission : ce qui était figure pour l'émetteur devient fond pour le récepteur et réciproquement. L'émetteur propose, le récepteur dispose, voire oppose à la performance un recadrage ou une interprétation sauvage. Mais le dilemme de tout émetteur, s'il veut que son message circule, est de devoir accepter sa déformation. Celle-ci faisait dire à Gide qu'un livre n'a de succès que par une suite de malentendus. Le sens « reçu » par chacun est toujours une coproduction.

Cette notion même de sens n'est pas claire et prête à de faciles revendications : on ne compte plus les ouvrages qui dénoncent la « perte de sens » contemporaine, et qui somment nos responsables d'en redonner un peu. Comme si la collecte du sens pouvait se ramener, par exemple, à faire le plein d'essence. La complexe alchimie du sens met en jeu une notion qui a elle-même trois sens : ce mot enchevêtre les idées de signification, de sensibilité et de direction. Et les messages gagnants tressent ensemble ces trois composantes : il ne suffit pas de partager entre émetteur et récepteur le même code (comme la langue française), encore faut-il toucher, et enrichir pour cela le discours en puisant aux couches iconiques-indicielles de la sensibilité ; et surtout ouvrir une perspective ou une issue au-delà des mots. La meilleure des conférences recueille moins d'audience qu'un spectacle ou un concert de rock, eux-mêmes battus par une prestation du pape ou du dalaï-lama. L'écoute d'un discours devient optimale quand celui-ci laisse entrevoir ou briller une perspective pratique de réalisation, voire de salut moral, politique ou religieux. Ont *du sens* les mots qui débouchent sur une action, les autres retombant tôt ou tard au niveau des « paroles, paroles… » dénoncées par la chanson.

1. Le primat de l'énonciation

La distinction de l'énoncé et de l'énonciation a enrichi les sciences du langage en leur ajoutant la pragmatique. Étude des modalités de l'énonciation, celle-ci ajoute un troisième volet aux composantes sémantiques et syntaxiques de la fabrique du sens ; si l'énoncé décalque les faits ou décrit un état du monde (dans le cas d'une parole de type référentiel comme « le chat est sur le paillasson »), l'énonciation constitue elle-même un fait et ajoute ainsi au monde un état : dans cet exemple, l'expression de ma croyance qu'il en va bien ainsi.

L'énonciation s'accompagne donc de marques qui indiquent quelle attitude propositionnelle le locuteur attache à tel énoncé. Il peut s'agir d'un préfixe explicite qui code, du sein de la parole, la valeur qu'on accorde à celle-ci (« J'affirme / Je crois / Je doute / Je t'avertis / J'espère que — le chat est sur le paillasson »). Ces différents préfixes s'apparentent donc au métalangage, puisqu'ils décrivent expressément la valeur de la proposition principale. Mais cette description ou modalisation peut être également gérée par les signaux analogiques qui composent le théâtre en général de la voix et du corps, et la parole ainsi enchâssée dépend, pour être déchiffrée correctement, de l'intelligence de ces cadres. Que vaudrait l'expression d'une promesse, par exemple, ostensiblement accompagnée d'un bras d'honneur ?

Cette pragmatique linguistique qui étudie la parole en contexte ou en situation s'est attachée — particulièrement avec les articles pionniers d'Émile Benveniste — à ce que celui-ci a nommé les traits de subjectivité dans le langage, soit le rôle des *déictiques*, ces petits mots démonstratifs, adverbiaux ou pronominaux, par lesquels on pointe, à partir de l'énoncé, le contexte ou la marge de l'énonciation : je, tu, hier, ici, à gauche, ça, etc. On appelle *déictiques* (du mot grec *deiktikos*, « démonstratif ») tous ces mots dont le sens se met à flotter hors contexte, et particulièrement à l'écrit, dès que l'énonciation se retire loin de l'énoncé. Si le pronom *Je* est transparent dans la plupart de nos conversations, il devient opaque en littérature : qui, du personnage, du narrateur ou de l'auteur, dit *Je* dans un roman ?

En résumé, l'énonciation recouvre tous les marqueurs (digitaux et analogiques) qui font qu'un message (pas seulement verbal) se trouve situé en tel lieu de l'espace et du temps, émis depuis tel site et pris dans telles relations. S'il arrive à quelques énoncés, comme un théorème scientifique ou une proposition logique, d'accéder à une vérité universelle (chapitre VIII), l'énonciation demeure par définition singulière, et jamais itérable : la répétition de la moindre phrase change le contenu de celle-ci, en connotant la seconde occurrence par exemple par l'insistance. Nous dirons que si l'énoncé peut fonctionner en différé, l'énonciation en revanche ne se diffère pas et signifie nécessairement en acte et *en direct*. L'énoncé est un signe généralement codé symboliquement, l'énonciation-événement demeure indicielle, parmi l'ordre des choses.

La vérité autoréférentielle de l'énonciation

La distinction de l'énoncé et de l'énonciation offre ainsi deux versants à l'argumentation : il y a une vérité (ou une fausseté) de l'énoncé, et une autre de l'énonciation, laquelle n'obéit pas vraiment aux mêmes règles, comme on le voit par les jeux de la réfutation qui mettent cette distinction en pleine lumière. On peut en effet, lors d'une polémique, batailler sur la réalité du dossier ou de l'affaire en discussion, avec des arguments plus ou moins objectifs ; mais on peut aussi, plus expéditivement (et parfois radicalement), court-circuiter tout raisonnement et porter le débat sur la source énonciative, en tentant de discréditer l'adversaire. « Non, pas ce mot-là, pas venant de vous (monsieur Sarkozy, monsieur Hue) ! Pas sur un sujet aussi grave pour les Français qui nous écoutent !... » Cela s'appelle en Chine « abattre le cavalier en visant le cheval ». Dans la plupart de nos dialogues de sourds, en matière politique particulièrement, les adversaires ne sont pas parvenus à ce préalable minimal de toute discussion : s'identifier mutuellement comme des interlocuteurs *valables*. Le fond interlocutif de l'énonciation n'étant pas assuré ou rempli, aucune forme ou aucun énoncé stable ne peut en émerger.

Les efforts déployés pour disqualifier l'énonciation d'un adversaire permettent de souligner une asymétrie importante dans nos jeux argumentatifs, qu'ils soient interpersonnels ou médiatiques : alors qu'un énoncé peut être vrai ou faux, et relève en tout cas du débat, une énonciation est automatiquement vraie, c'est-à-dire réelle. L'énoncé creuse une distance et introduit un rapport (adéquat ou non) entre le signe et la réalité qu'il décrit, alors que l'énonciation n'est pas séparée d'elle-même : pure manifestation d'une attitude ou d'un fait, elle constitue un événement ou un état. On peut ne pas l'apprécier, on ne peut lui refuser d'exister. Or un grand nombre de nos discours combinent ces deux niveaux de vérité dans des propositions dénuées d'ambiguïtés, mais complexes dans leur syntaxe logique, comme le montrent les exemples suivants.

1. « J'affirme qu'il a neigé ce matin. » Comment vérifier ou réfuter cette phrase ? En interrogeant sans doute des témoins du phénomène, mais surtout en remarquant deux niveaux dans le *relief logique** de l'énoncé : une assertion référentielle portant sur l'état du monde, enchâssée dans une manifestation autoréférentielle soulignant la force de l'énonciation. La première est discutable et d'ailleurs facile à trancher, la seconde indiscutable et automatiquement vraie (*self evident* ou *index sui*, disent différents spécialistes : on peut douter qu'il a neigé, non que « par la présente » je l'affirme).

2. « J'affirme / Je parie / Je doute — qu'il neigera demain. » Ici l'accent ou le *focus* de l'assertion s'est déplacé sur le préfixe enchâssant qui devient proposition principale, et ma phrase est entièrement vraie, mais d'une vérité autoréférentielle portant sur la seule énonciation.

3. « On rapporte dans les milieux bien informés que / devant les risques d'inflation, les banques centrales s'apprêtent à relever leurs taux directeurs d'un demi-point / le ministre X n'a pas commandité l'assassinat de la députée Y... » Cette rhétorique perverse a pour effet de lancer ou d'ancrer une rumeur, particulièrement difficile à réfuter dans l'exemple de l'insinuation du meurtre. Le *chapeau de précaution* « on rapporte que » permet à l'énonciateur, journaliste dans notre exemple, de diluer son assertion dans une énonciation plus générale (On), et comme telle irréfutable car autoréférentielle. Or il est choquant de ne pouvoir discuter clairement de pareilles phrases, car l'une et l'autre auront des effets bien réels : la première incitera la Bourse à baisser quelle que soit l'attitude des banques mentionnées ; la seconde salira forcément la réputation du ministre impliqué dans cette tortueuse dénégation.

Énoncé secondaire, énonciation primaire

Notre dernier exemple est celui d'une présupposition insinuée : si l'on prend la peine de blanchir X de ce crime, c'est qu'il aurait pu s'en rendre coupable, pensera aussitôt le public. Certaines précautions, interdictions, dénégations, ou certains détournements d'attention ont ainsi l'effet dévastateur d'inciter leurs destinataires à l'attitude inverse, comme nous l'avons vu avec l'exemple cité au chapitre II : *4.* « Je vous interdis de penser à Victor Hugo ! »

Injonction paradoxale, disions-nous, car l'ordre donné (la relation) se trouve immédiatement contredit par le contenu de la représentation induite. Ce qui l'emporte dans les deux cas, c'est la force de l'énonciation sur le sens logique de l'énoncé. Nous poserons la chose autrement par un détour emprunté aux concepts de la psychanalyse : l'énoncé est *secondaire*, articulé selon les codes (abstraits) de la langue ou d'un ordre symbolique, tandis que l'énonciation est *primaire*, moins ou in-articulée, car elle se tient en deçà de la coupure sémiotique*, du côté des indices ou de la manifestation des choses mêmes.

L'ordre secondaire, linéaire, symboliquement élaboré et structuré, ouvre celui de l'argumentation et de la quête discursive (rationnelle) de la vérité (ou de la fausseté) ; l'ordre primaire, massif et immédiat, court-circuite les patiences secondaires par une contagion, une adhésion sans débat ou une « intime conviction ». Dans l'inconscient comme dans le processus primaire, remarque Freud, il n'y a pas de négation. La négation en effet suppose un relief logique*, une distance prise ou une dualité dans la représentation — toutes choses que le processus primaire écrase dans une positivité indistincte. C'est ainsi que les signes iconiques expriment difficilement la négation : on peut dire l'absence d'un personnage, mais quel moyen de photographier celle-ci ? Et l'on sait que la plus minimaliste des peintures, bien loin de représenter le vide, est toujours assez pleine. L'énonciation de même manifeste un fait ou un acte, par définition positifs, et qui enveloppent dans cette mesure une certaine affirmation.

Une critique de la communication devrait commencer par distinguer rigoureusement dans nos discours, messages et échanges en tous genres ce qui relève des énoncés et ce qui relève de l'énonciation. Ce partage distribuerait du même coup sur deux versants distincts le contenu et la relation (chapitre II), l'ordre symbolique et les réalités indicielles (chapitre III) ou, comme nous le verrons, l'information et la communication (chapitre VI).

Une ruse commune à nos débats consiste à rabattre la vérité secondaire de l'énoncé sur celle, primaire, de l'énonciation ; autrement dit, à abriter et camoufler l'élément réfutable dans un fond non falsifiable. Chaque fois par exemple qu'un orateur parvient à se rendre sympathique, à se faire aimer ou à mettre les rieurs de son côté, c'en est fini du débat : la recherche de la vérité s'efface au profit d'une adhésion chaleureuse, le contenu des paroles se dilue dans une relation interpersonnelle. Cette rhétorique affecte particulièrement nos débats télévisés, où l'opinion la plus incongrue a droit de cité — l'important c'est d'être drôle et original —, où une prise de position détestable se trouve facilement excusée — l'important c'est d'être authentique et de croire ce qu'on dit —, où les tables rondes réunissent sans principe des invités condamnés au brouhaha — l'important c'est de participer. Le sens est produit dans chaque cas sur un mode chaleureux et sensible, et plaît aux naïfs : on est si bien ensemble ! Mais ce type de raison ne franchit pas la barre de la coupure sémiotique, ni le test de la réfutation.

Expressions du monde propre

Les jugements qu'un locuteur émet sur sa sphère privée, et qui expriment un état de son corps, de ses humeurs, de ses rêves, désirs, angoisses..., ou qui portent en général sur son monde propre (lequel peut s'étendre au réseau de ses relations ou à des expressions de ses valeurs, de ses croyances ou de sa culture), relèvent de la fonction expressive* au sens de Jakobson et se passent en général d'argumentation ; ils véhiculent une certitude sensible ou un symptôme individuel ou collectif, et ils échappent ainsi à la sphère du débat (« Des goûts et des couleurs... »). On a peu de moyens de contester sur le fond l'expression d'une douleur (« J'ai mal au crâne »), d'une préférence (« Je prends le costume gris »), d'un choix amoureux, d'une valeur, mais pas davantage le récit d'un rêve, d'une phobie, d'un mythe collectif, non plus qu'une profession de foi (religieuse, politique ou esthétique).

On peut combattre ces dernières, on ne peut pas les réfuter rationnellement. C'est qu'elles constituent moins des jugements que des protestations d'existence, par lesquelles le sujet construit, étend et tente d'imposer son propre monde à la ratification des autres. Il est aussi vain de contester un choix amoureux qu'une croyance politique ou religieuse ; on s'aperçoit vite en ces matières que l'énoncé, bien loin de se laisser détacher de l'énonciation ou de *qui parle*, fait corps au contraire avec son auteur, qui s'engage totalement sur ses mots, jusqu'à s'identifier à eux, et en faire une question de vie ou de mort.

Représentation versus *manifestation*

Un mot revient au fil des remarques qui précèdent, la *manifestation*. Elle se distingue de la représentation comme ce qui se montre en personne (ou sur le mode de la présence réelle) de ce qui diffère, délègue ou virtualise sa présence dans un signe extérieur. Deux exemples, pris aux extrêmes de la psychologie individuelle et sociale, distingueront clairement ces deux logiques sémiotiques antagonistes (et complémentaires).

Dans le jeu normal de la représentation démocratique, les individus regroupés dans des syndicats ou des partis font confiance aux délégués, qui parlent pour eux au Parlement ou dans diverses négociations. Notre démocratie politique et sociale est ainsi fondée sur une cascade sophistiquée de délégations, par lesquelles les acteurs de base s'absentent dans leurs représentants comme la chose dans son signe. Quand les conflits augmentent, cependant, on voit telle catégorie d'usagers ou de travailleurs descendre directement dans les rues : ces cortèges toujours un peu festifs montrent (au lieu de représenter) le corps populaire lui-même, ou en personne. Une *manif* n'est pas très articulée, et on peut la dire primaire au sens de Freud : elle signifie sur un mode exclamatif plus que discursif ; elle ne pense pas, elle pèse, et de son nombre dépend le succès, ou l'échec, des négociations (qui reprendront entre délégués). Mais en attendant la reprise de discussions nécessairement plus abstraites, la manif aura montré en acte la chose même : l'exigence de la solidarité ou de la *relation* dans les corps enlacés des participants, le retour d'un refoulé quand les corporations s'exhibent en personne, bloquent les voies de circulation et court-circuitent les jeux symboliques de l'anonyme communication ordinaire.

Le couple psychanalytique de la *Darstellung* opposée à la *Vorstellung* distingue de même deux façons de faire signe, par la symbolisation (mentalisation) ou par le corps. La *Vorstellung* désigne la représentation, y compris quand il y a déguisement, refoulement d'un désir ou d'une idée dans un rêve, un lapsus, un acte manqué... Les arts, les rêves, les mythes, et bien sûr les contenus de nos pensées en relèvent. La *Darstellung* se manifeste corporellement, notamment dans l'hystérie, qui présentifie ses messages sans absence, sans distance, sans reste. Dans les symptômes et les accès hystériques, le sujet tente d'imposer, par une manifestation plastique et figurative, la présence de l'objet de son désir ou de sa crainte (de sa phobie, de sa souffrance)... Cette manifestation court-circuite le symbolique et tout ce qui s'y inscrit : mots, savoirs, codes ou signes abstraits, patience du négatif, signifié ou type idéal, mémoire. Si l'hystérie n'est pas *bonne à penser*, c'est qu'elle dévaste et ridiculise toute pensée en son principe même. Elle manifeste l'excès de la jouissance ou de la souffrance sur les représentations du savoir ; elle pointe le lieu incertain où la symbolisation se replie et se perd dans l'épaisseur réelle des corps.

Avec ce qu'on appelle en particulier l'*hystérie de conversion*, un « langage » qui semble devenu assez rare dans les cabinets médicaux, le patient invente avec son corps un vocabulaire, l'abasie pour dire par exemple qu'il « ne marche pas », comme les joueurs dessinent au Pictionary l'équivalent de mots ou de notions abstraites. Cette *figuration* de la conversion se heurte aux mêmes difficultés que les indices et les icônes, confrontés à l'ordre verbal du symbolique : la conversion n'admet pas la négation, l'abstraction, le temps, le relief logique..., à la façon dont les animaux observés par Bateson peinent à élaborer et à stabiliser le message « Ceci est un jeu » dans l'oscillation du *mordre* et du *mordiller*. Tout se passe comme si la manifestation primaire de la conversion conjuguait les verbes à l'infinitif, en mélangeant la voix active et la voix passive, et en confondant les objets et les sujets.

Une énonciation radicalement primaire, et *de conversion*, sera par exemple la figuration en acte du verbe « vomir », qu'on interprétera au choix par : « Je vomis quelque chose ou quelqu'un », « On me vomit », ou « Je me vomis »... La condensation* du scénario-symptôme corporel a fait sauter les articulations secondaires, et en particulier le sujet, l'objet, le temps et la voix du verbe. Ce langage du corps se montre comme le rêve tolérant aux messages contradictoires, non stabilisés par le code. Par exemple, chez une femme, la conduite de s'offrir et de se refuser en même temps ; il est inutile de l'interroger sur sa véritable intention, le message ne passe pas par sa tête. Comme l'ont bien vu les continuateurs de Bateson, l'hystérie propose une intense relation, sur le mode non de la mentalisation mais de la contagion, de sorte que les phénomènes qui gravitent autour d'elle tendent une loupe grossissante à nos études.

« On ne peut pas ne pas *communiquer » (Watzlawick)*

Tout le *montré* de l'énonciation (à distinguer du *dire* de l'énoncé) semble ainsi aimanté par la sémiotique de la manifestation, pour laquelle il n'y a pas de concepts, de code préalable ni de distance entre le signe et la chose à faire. Ce parcours nous permet de vérifier l'un des plus célèbres axiomes de l'école de Palo Alto : dans la mesure où les signes de l'énonciation reposent largement sur les indices corporels, une équivalence se dessine entre communication et comportement. Il n'y a pas de comportement zéro, même le silence, même le repli catatonique constituent des « messages ». De même, notre espace social a horreur du vide et fourmille en permanence de signaux : on peut parfaitement ne rien dire, on ne peut pas *ne rien* montrer. L'art contemporain (minimalisme, support-surface) en a tiré quelques conséquences avec le carré blanc sur fond blanc, les monochromes ou les « musiques répétitives »... Plus faible est la proposition, plus forte peut être la réponse ou l'interprétation.

La distinction de l'énoncé et de l'énonciation nous rappelle finalement que nous vivons à la fois dans la veille de l'entendement (analytique, discontinu) et dans le sommeil (paradoxal et vigilant) du corps ; dans la séparation apportée par les symboles logico-langagiers, et dans le *milieu* ou la continuité du vivant, force de liaison et de participation où nos frontières individuelles s'estompent.

Savons-nous dire où s'arrête un corps, et quelles identités il peut prendre ? Dans le mimétisme, dans l'influence mais déjà dans la simple interlocution, nos corps s'étirent les uns dans les autres. L'hypnose, qui reconstitue en partie la relation primaire de l'enfant à sa mère, figure sans doute le comble de la relation ou de la communication. Quand les parents, ou les relations, se prolongent dans le comportement individuel et le hantent, combien un sujet contient-il de sujets ? Cela s'appelle aussi l'*identification*, et le transfert, mais ces mots ne sont pas des réponses, ils pointent l'énigme persistante du lien social ou de la relation humaine. À en juger par la vogue des imitateurs sur nos scènes et nos écrans, la modernité médiatique et technologique n'a pas aboli les anciennes dispositions à la transe, à la possession et au trafic des âmes.

2. Direct et différé

Nous avons vu que, contrairement aux énoncés, une énonciation ne se diffère pas. Le moment est venu d'examiner l'important couple terminologique du direct et du différé, qui ne se limite pas à distinguer entre elles des émissions de radio ou de télévision, mais qui intéresse de près notre vie sémiotique, psychologique et sociale, et permet d'articuler étroitement les études pragmatiques avec la classification des signes. Nous repartirons pour cela de la catégorie de l'indice et du concept déjà utilisé de la coupure sémiotique*.

Où passe la coupure sémiotique ?

Dans l'indice, disions-nous au chapitre III, un échantillon ou un détail du phénomène ou de l'événement signifié insiste « en personne » ou sur le mode de la présence réelle. Il est clair que les animaux ne disposent pour communiquer que de ces signes *in praesentia* : un chien qui gonfle sa fourrure et grogne en montrant ses crocs signifie certes la menace, et sa mimique sera partout perçue comme le premier degré de l'attaque. Inversement, le mot « chien » ne mord pas, non plus que son image, et ces simulacres virtuels ou verbaux, s'ils peuvent avertir l'homme, n'ont aucun pouvoir d'intimidation sur les congénères du cerbère. Notre coupure sémiotique, qu'on peut résumer par le slogan « La carte n'est pas le territoire », passe donc quelque part entre les indices, d'un côté, et les icônes et symboles logico-langagiers, de l'autre.

Deux modalités du direct et du différé se dessinent à partir de ces remarques. Un certain direct concerne le régime ordinaire de l'indice, soit des signes qui fonctionnent en général en deçà de la coupure sémiotique. Nous dirons par exemple que la fumée ou la cendre désignent directement le feu dont elles constituent la partie ou le produit dérivé. La plupart des signaux suprasegmentaux de l'énonciation, et du *montrer* cadrant le *dire*, entrent dans cette catégorie ; inversement il y a *différance* (avec un *a*) au sens de Derrida chaque fois qu'un événement, un phénomène ou une chose se diffère (se rature ou se virtualise) dans l'artefact de son signe, qui peut être l'image, le schéma ou le mot. Le critère pertinent de cette distinction n'est donc pas la distance ou l'écoulement temporel, mais la présence et l'appartenance, réelles ou non, du représenté au représentant. Des cendres vieilles de plusieurs millénaires n'en attestent pas moins, en direct, la présence d'un campement humain dans une grotte.

L'autre direct s'entend, selon l'usage audiovisuel courant, comme simultanéité du reportage, ou existence concomitante de la carte et du territoire. Cela nous ouvre donc une échelle sur laquelle nous placerons à titre d'exemples, entre autres :

— Le direct indiciel et simultané (coprésence du représentant et du représenté-manifesté) : les mimiques de l'énonciation dans l'interlocution, la gestuelle animale, la manif, la girouette indiquant le vent, la fumée pour le feu...

— Le direct indiciel avec décalage temporel possible entre le représentant et le représenté (le signe se prolonge au-delà du phénomène) : les vestiges, les traces et les empreintes en général, le parfum résiduel entre les feuillets d'une lettre, les cendres d'un feu...

— Le différé simultané : les mots de la communication orale, certaines mimiques codées de politesse, le direct radio et audiovisuel, les signaux de fumée des Indiens...

— Le différé avec décalage temporel : les textes en général, les tableaux des musées, les émissions en différé de la radio-TV, ce volume de la collection « Repères »...

Indice énergumène

Ce qui complique la question de l'indice ou de la « présence réelle » tient, comme on le voit par les quatre alinéas qui précèdent, à la non-pertinence du critère de l'enregistrement : un signe peut fonctionner « par nature » (comme dit Platon dans le dialogue *Cratyle*) indépendamment du temps écoulé entre son émission et sa réception. L'indicialité, à laquelle s'attachent plusieurs effets très tangibles dans notre réception des messages, demeure ainsi une composante ou une valeur difficile à circonscrire : l'*énergie* naturelle de l'indice se faufile à travers la coupure sémiotique, elle infiltre ou « remonte » la pyramide des couches signifiantes pour hanter et animer icônes et symboles.

Le cas de l'icône est le plus frappant, et peut-être le plus délicat. Chaque fois qu'on traite de la vérité des images, il convient en effet de bien distinguer entre les images-empreintes et celles qui passent par le préalable d'une mentalisation. Nous classerons sur deux versants radicalement différents la photographie (où le flot des phénomènes lumineux s'imprime *directement* sur la pellicule) et la peinture (où l'artiste calcule chaque touche de couleur avant de la déposer sur la toile du bout de son pinceau). La photographie, expliquait Roland Barthes, comme le film documentaire ou aujourd'hui l'empreinte vidéo enferment un certificat de réalité, en vertu de la chaîne indicielle dont résulte l'image que je tiens sous mon regard. D'où son effet éventuellement *poignant* : ce visage jeune et radieux, mais aussi ces corps décharnés derrière les barbelés des camps ont dû un jour prendre cette forme pour m'apparaître sur ce papier. N'objectons pas trop vite à cela qu'on truque quelques photographies, car cette fraude n'est jamais qu'une confirmation de leur fonctionnement massivement indiciel, donc référentiel, à la différence des tableaux que nul ne songerait à retoucher pour les mêmes raisons. Ce qui oppose ces deux familles d'images, c'est qu'on peut peindre des anges, ou des Martiens, mais jamais les filmer ni les photographier.

Une indicialité errante parcourt ainsi les couches sémiotiques supérieures, pour recharger les images ou les mots d'un peu de nature, d'énergie ou de chair. Ce fantôme de l'indice primaire dans nos représentations secondaires y ranime un effet de présence réelle, qu'il faudrait rapprocher de la complexe problématique de l'*aura*, définie par Walter Benjamin comme l'« unique apparition d'un lointain » dans *L'Œuvre d'art à*

l'ère de sa reproduction mécanisée. L'indice hante particulièrement, en y ranimant une aura errante :
— l'énonciation en général, toujours en acte, au présent d'une relation et non reproductible ; cette « unique apparition » de l'énonciation la rend donc virtuellement auratique ;
— la représentation théâtrale, où ce sont des corps qui s'exposent réellement pour signifier en direct leurs personnages ;
— la photo, le film documentaire et les vidéos ; ces empreintes sont par nature duplicables, mais elles ont capté et nous restituent sur le mode pelliculaire des blocs de réalité ;
— les mots dans l'animation de leur énonciation, quand celle-ci leur donne rythme, force et vie, et particulièrement l'usage poétique de la parole, qui renaturalise les signifiants arbitraires ou « rémunère [leur] défaut » (Mallarmé) ;
— l'hostie, qui représente *en effet* le corps du Christ pour le fidèle qui communie dans le sacrement de l'eucharistie ;
— la peinture quand elle délaisse les signes distants de la représentation secondaire pour l'expressivité primaire des empreintes gestuelles, des dépôts de matière ou des collages ; chaque fois qu'au lieu de « dire » elle « montre » directement...

D'une façon générale, la perception des indices repose sur une décision d'interprétation : leur surgissement dépend de la profondeur sémiotique à laquelle nous plaçons notre regard. Car on peut déchiffrer la plus secondaire des toiles, un tableau de Poussin par exemple, sur le mode primaire des taches de couleur assemblées, en ne considérant que le grain, la matérialité des signifiants, les traces énergétiques perceptibles dans l'application des coups de brosse, etc. La catégorie du film documentaire, de même, n'est pas facile à borner ; un cinéphile pourra toujours visionner une œuvre de fiction sous l'angle du document, en y traquant toutes les ruses du signifiant filmique ; ou par exemple apprécier dans *La Folie des grandeurs*, de Gérard Oury, un excellent documentaire sur le cabotinage d'Yves Montand. La couche indicielle « supporte » les couches iconiques-symboliques qui s'étayent sur elle, et à travers lesquelles elle peut toujours inopinément resurgir.

Message manifesté, enchâssé, détaché

L'essor des technologies du direct, qu'on datera peut-être de l'invention de la photographie (1839), a vivement bousculé les représentations majestueuses et sages de la graphosphère, qui reposaient sur le différé et le temps nécessairement lent de l'imprimé. Dans le journalisme comme dans l'art, la photographie puis le cinéma provoquent un court-circuit sensible, et apportent un enrichissement saisissant des messages. L'art du XXe siècle, dès les manifestes futuristes puis surréalistes, tirera de cette effraction indicielle des conséquences dont on n'a peut-être pas encore pris toute la mesure.

Le téléphone offre davantage d'indices et d'interactivité que la lettre ou le télégraphe optique ; la télévision est plus riche sémiotiquement que la radio, et l'écran de cinéma donne plus à voir que la scène de théâtre… Si d'un côté les perfectionnements techniques proposent des transmissions toujours plus vives, sensoriellement riches et « en direct », un autre vecteur pousse au détachement croissant des messages et à leur façonnage autonome en direction d'une communication universelle (chapitre VIII). Notre expérience du *sens* des messages que nous traitons quotidiennement va ainsi de l'attachement au détachement maximal entre la sphère de l'énoncé et celle de l'énonciation. La distinction du pathème, du poème et du mathème mettra en évidence cette échelle dans les degrés de détachement de nos énoncés.

Considérons trois locutions différentes : un cri de douleur, la prononciation d'un poème, l'énonciation enfin du théorème de Pythagore ou d'une information du type : « Le train arrivera en gare au quai numéro 3. » Compréhensible dans toutes les langues, le cri demeure inarticulé : pure manifestation (très expressive et fortement reçue) d'un état du corps, son sens s'épuise dans le rayon auditif de sa profération, on ne peut ni le citer ni le traduire. Le poème articule de manière très sophistiquée ce qui s'agglutine de façon primaire dans le cri. S'il est vrai que les poèmes se font « dans la bouche » (Tristan Tzara), ils réclament une énonciation *prononcée*, et ils véhiculent des affects ou, à la limite, des états du corps. Ils s'impriment certes, se récitent et voyagent très au-delà de leur auteur-émetteur, mais leur communication demeure bornée peut-être par les frontières linguistiques. Qu'est-ce qu'un poème en effet sinon l'« indéfinissable rencontre d'un sens et d'un son » (Valéry), c'est-à-dire une certaine succession d'idées indissolublement attachées à *ces mots pour les dire* (sons, rythmes, rimes, cadences…) ? Le sens signifié d'un poème ne se laisse pas détacher de son signifiant, de sorte qu'on ne peut en rigueur le traduire — à moins que le traducteur, lui-même poète, ne forge dans la langue d'arrivée des correspondances équivalentes. Les énoncés scientifiques (« mathèmes ») ou d'information factuelle se laissent en revanche dire et traduire sans problème dans toutes les langues dès lors que leurs signifiés n'attachent pas, ou que le code linguistique est « arbitraire ».

On voit que la fonction poétique consiste à renforcer l'enchâssement de l'énoncé dans les conditions absolument singulières de l'énonciation (ici la disposition de la séquence sonore). On peut par ce biais voir dans tout poème le vestige d'un état ancien de la parole, plus solennelle et plus rare : d'une parole en résidence, inextricablement attachée à tel site autorisé et consacré d'énonciation. La fonction poétique serait ainsi la menue monnaie d'un capital symbolique que se partageaient le prophète, le prêtre ou l'archonte, hauts personnages auxquels il suffisait de donner de la voix pour avoir raison, la vérité de leurs énoncés se trouvant automatiquement garantie par la majesté de leur énonciation. Les messages publicitaires s'efforcent de s'approprier un peu de cette autorité non réfutable de la chose poétique. Inversement, le progrès des sciences et des énoncés logiques aura consisté, depuis les Grecs, à détacher et à nettoyer toujours mieux certains discours de leurs contingences énonciatives.

La controverse Thot-Thamous

Dans une page célèbre du dialogue *Phèdre*, Platon imagine une « scène égyptienne » dans laquelle l'industrieux petit dieu Thot soumet au grand roi Thamous sa dernière invention, l'écriture, et se voit pour celle-ci vertement réprimandé. Thamous reproche notamment à l'écriture d'arracher les discours à leurs « pères » et de laisser les paroles ainsi orphelines rouler de tous côtés, sans que personne les assiste pour leur donner autorité. *Tu ne télécommuniqueras pas*, oppose Thamous à Thot, pour mieux protéger une oralité primaire qui fait le jeu des rois et des pères. Inversement, Thot a la vive intuition que le développement de l'écriture accompagnera celui des messages autonomes, dont la raison cessera de s'abriter dans la voix dominante ; l'édifice logico-mathématique en particulier, fondé sur des traces strictement écrites, inventera une liaison des énoncés entre eux qui remplacera celle de l'énoncé avec l'énonciation, et qui renversera à terme la raison du plus fort. L'affrontement exemplaire de Thamous et de Thot, à travers la question (cruciale pour nos télécommunications) de l'écriture, oppose une culture orale, close autour de la parole du souverain, à une culture ouverte par le traitement des traces et la cascade indéfinie des raisons.

3. Au carrefour du sens, la métaphore

Nous conclurons ce chapitre par une brève réflexion sur les jeux de la métaphore. La métaphore est au cœur de la connaissance comme de la relation intersubjective. Il n'y a pas d'effort pour penser qui ne s'en nourrisse. Nous traitons les mots que nous émettons ou que nous recevons comme des éponges ou du caoutchouc, nous tirons dessus pour les déformer, nous les remplissons de notre propre substance et leur prêtons notre vie ; et c'est cela *faire sens*. C'est encore pire avec les images, que personne ne regarde du même œil. Quant aux musiques, aux parfums, aux saveurs, nous savons bien qu'ils sont par excellence le siège de la mémoire affective et qu'ils peuvent héberger des informations incommensurables d'un sujet à l'autre.

Percevoir consiste à interpréter et à adapter sa culture (sa clôture) au monde de l'autre. Et tout sujet dispose d'un monde propre, c'est-à-dire habite un système d'informations, de souvenirs ou d'anticipations qui intègre et oriente à chaque instant tout signal nouveau. Celui-ci déclenche sur notre réseau récepteur (qu'on se figurera sous la forme d'un hypertexte*) une résonance, un train d'associations, de branchements ou de comportements induits, lesquels traduisent et développent (plus qu'ils ne représentent adéquatement) la stimulation extérieure.

Objectera-t-on à cette vision quelque peu solipsiste des résonances ou des réseaux (pensants) le fait, incontestable, de la *raison* ? Car il arrive non seulement qu'on s'entende, mais qu'on accorde tous le même sens aux paroles, et que le cours forcé des mots s'oppose à leur cours flottant. Cette communication idéale correspond à l'écriture des contrats, des procès-verbaux, des constats, aux dialogues hommes-machines ou au discours en général de la loi : partout où il s'agit de coder sans équivoque une information. C'est le pôle de la valeur *économique* des messages, celui en particulier de la science, qui élague sévèrement le sens des mots, mis en lignes, en chaînes ou forcés dans des conduites rectilignes. Mais nous savons que les sciences, qui se font un devoir de tamiser soigneusement leurs concepts, progressent aussi en forgeant de bonnes métaphores. Comparaison n'est pas raison mais « tout se passe comme si… » énonce l'expérimentateur ; et voici notre métaphore, chassée par la porte, qui rentre par la fenêtre. Un schéma, une image peuvent en dire plus qu'un long discours et donner fortement à penser. En sciences aussi la métaphore est le ressort de la créativité.

À l'autre pôle de nos communications, la poésie concentre traditionnellement les usages métaphoriques du langage. L'équivoque ou l'« hésitation prolongée » (Valéry) entre le son et le sens des mots, l'autoréférence et la circularité souvent remarquées de ces jeux de langage n'abolissent pas tout à fait la référence, mais tendent à retarder celle-ci ou à la suspendre. Or la poésie n'a nullement le privilège de la métaphore et, comme on le répète depuis Dumarsais, on sait bien qu'il se fait « plus de figures en une heure à la halle » que dans une journée à l'Académie. La métaphore, comme la fonction poétique, est éparse, inexpugnable dans la parole et probablement non dénombrable : peut-on énumérer les figures d'un poème ? Et combien de métaphores contient ce chapitre ? Autant vouloir compter les flocons dans une boule de neige.

Ces remarques conduisent à penser qu'il est commode mais assez problématique d'opposer la poésie à la prose ; et qu'il serait de même illusoire, et peut-être néfaste, de prétendre purger le discours scientifique de toute métaphore. Une des tâches de nos SIC pourrait être de les réunir, en atténuant la coupure (dans les programmes et dans les têtes) entre la parole littéraire et celle du savant, et en favorisant du même coup une conception tolérante, ou moins arrogante, de la connaissance.

On est toujours libre de ne pas goûter une métaphore, son évidence ne se démontre pas. De même la diversité et la luxuriance infinie des réseaux, en nous et entre nous, s'opposent à l'idée simpliste d'une raison qu'on a pu croire innée et la même pour tous. Connaître c'est largement reconnaître et bâtir un modèle du monde avec les ressources de son monde propre. La métaphore irréductible au cœur de la connaissance ne fait jamais qu'exprimer la pluralité et l'incommensurabilité de ces mondes habités par chacun. La préférence donnée à la métaphore ou à la « fonction poétique » dans la communication enregistre cette diversité et traduit une politesse énonciative, ou l'aveu lucide qu'il y aura toujours du *jeu* entre les partenaires. Ce jeu n'est pas faiblesse ni approximation floue, mais ruse et curiosité relancée autour de cette chose énorme, le réel, que nous cadrons, conjurons, contenons, métaphorisons, rêvons ou évitons de mille façons, et qui demeure fièrement inconnu.

V / L'innovation technique et ses usages

Parce qu'elles constituent la partie la plus visible des phénomènes examinés ici, les nouvelles technologies de l'information et de la communication (NTIC) sont au carrefour de cet ouvrage. La communication interpersonnelle ou face à face se prolonge en communication médiatisée avec le téléphone, le Minitel ou Internet ; notre démocratie, par ailleurs, fondée sur la publicité des débats et l'ouverture d'un espace public régi, au XVIIIe siècle, par la circulation des écrits, se trouve aujourd'hui exposée aux trafics audiovisuels, aux assauts des technologies du direct court-circuitant les échanges plus lents de la graphosphère symbolique (chapitre VII), et elle doit également relever le défi du métissage des cultures et de l'ouverture mondiale des échanges (chapitre VIII).

La « question de la technique », ou des médias, hante donc nos études. Chacun sent bien que ces nouvelles machines ne peuvent demeurer sans effets sur les formes du savoir, du lien politique et social ou sur la culture en général, mais quelle sorte de futur nous préparent-elles ? On peine à suivre à la trace l'étrange causalité des médias ; et ces notions mêmes — médias, monde de la technique — demandent à être d'abord précisées.

1. Frontières du monde technique ?

C'est un lieu commun de faire le procès des médias, accusés de mensonge et de manipulation, et les mêmes arguments repris à satiété dans les médias eux-mêmes semblent tourner en rond. Quelques prophètes, *apocalyptiques* ou *intégrés* selon la plaisante présentation d'Umberto Eco (1985), nous annoncent régulièrement les transformations inouïes (catastrophiques ou radieuses) dues à la rationalisation scientifique des machines à communiquer et à leur extension planétaire. Qu'y a-t-il de biaisé ou de naïvement critique dans ces déclamations tapageuses ?

Maudits médias

Les « apocalyptiques » présupposent trop vite un usager rationnel, qui vivrait spontanément dans la vérité si de méchants médias ne venaient le corrompre et altérer du dehors la pleine possession de ses facultés. Le blâme infligé aux médias ressemble à une résurgence de la technophobie, bien attestée au long de l'histoire de la philosophie. On lui opposera que le dispositif médiatique n'encercle pas de l'extérieur un sujet pensant, imaginant, désirant, communicant..., qui se trouverait avant et indépendamment de ces maudits médias assuré de lui-même, vigilant et libre de toute aliénation.

Qu'il faille au contraire des outils pour penser, que la moindre de nos informations suppose généralement pour son extraction, son acheminement ou son traitement une technologie, donc un coût (même si nous ne l'acquittons pas directement), cette hypothèse répugne à notre narcissisme spontané de sujet pensant. « *Ego cogito*, je pense que — c'est moi qui pense », se plaît à ruminer *Homo sapiens* quand il s'inspecte. Cette pensée jaillissante à l'intime de son être ne peut que lui paraître innée et libre. Rodin n'a-t-il pas sur ce thème sculpté son célèbre *Penseur* ? Ce monument d'idéalisme montre l'homme nu, concentré sur sa pensée sans le secours d'aucun livre, cahier, stylo, clavier ni artefact quelconque. Nous n'aimons guère, et jusqu'à un certain point nous ne pouvons pas, penser clairement les prothèses techniques et les moyens (les médias) par lesquels nous pensons. *Sapiens* oublie et rejette *faber*, qui partage pourtant le même corps.

L'oubli de la technique et la faute d'Épiméthée

Il est vrai que le propre des médias, à commencer par notre corps, est de fonctionner en se faisant oublier. On a défini la santé comme la poursuite de la vie dans le silence des organes ; de même, la lecture est à son régime optimal quand j'oublie mon livre pour vagabonder en imagination dans le monde qu'il m'ouvre ; une route quand elle glisse en douceur, avalée par les pneus ; le cinéma quand, pris par le film, j'oublie tout de la projection, etc. De même que les signes s'effacent dans ce qu'ils désignent, nos médias fonctionnent normalement sans rature. Quand le doigt montre la lune, il faut être imbécile — ou sémio-médiologue — pour regarder le doigt.

Cet inconscient techno-médiatique n'est pas sans conséquence sur les formes et les classements de notre culture. Ni les médias ni les outils techniques ne semblent « bons à penser » ; si, dans la hiérarchie de nos valeurs, le bac littéraire ou scientifique l'emporte largement sur le bac technique, de même notre pensée cadre bien les formes culturelles et symboliques émergentes, moins bien les infrastructures matérielles et les réseaux techniques qui soutiennent celles-ci. On connaît mieux l'histoire littéraire que celle de la librairie ou de l'imprimerie, mieux la liste des batailles gagnées ou perdues que les détails de l'armement, mieux les œuvres d'art que le fonctionnement des métiers, musées, médias et matériaux qui isolent et offrent les tableaux à nos jouissances et dissertations esthétiques. On pense toujours depuis le sommet de la pile, en oubliant la base des moyens (des médias) qui constituent celle-ci.

Or cet outillage technique, régulièrement négligé dans les recensions de nos performances symboliques, serait lui-même directement issu d'un oubli majeur si l'on en croit le mythe d'Épiméthée, raconté par Platon dans le *Protagoras* (320 d-322 a). Au moment de distribuer aux espèces vivantes des qualités et des vertus en proportions équilibrées (aux uns les griffes et les crocs pour chasser, aux autres les sabots, les écailles ou les piquants pour échapper aux prédateurs...), Épiméthée épuise celles-ci en équipant chaque espèce animale, sans rien conserver pour l'homme. Voyant ce dernier nu et désarmé, son frère Prométhée dérobe alors à Héphaïstos et à Athéna le feu créateur de tous les arts pour l'offrir au plus démuni des animaux, et ce larcin lui vaudra d'être cruellement puni.

Abondamment commenté par Bernard Stiegler, ce mythe est riche d'enseignements. En nous rappelant que l'homme naît en état de détresse ou, comme disent les biologistes, de prématuration, il nous montre dans la technique la réparation de cette déficience originelle ; de sorte que la faiblesse congénitale de l'espèce humaine conduit paradoxalement à sa supériorité sur toutes les autres. La technique est l'équivalent des griffes ou des sabots animaux, l'outil prolonge le corps vivant dont il *extériorise* chaque fois une fonction, comme l'explique l'anthropologue André Leroi-Gourhan dans *Le Geste et la*

Parole : d'abord les usages durs ou lourds (le bâton, le marteau extériorisent notre squelette), puis de moins en moins matériels : les machines énergétiques prolongent au-dehors les forces de nos muscles avec la brouette, la poulie, la machine à vapeur..., les instruments ou machines sensoriels affinent et développent nos perceptions (la lunette, le microscope, le télégraphe optique, la photo ou le cinéma...), les machines informationnelles enfin, la dernière et la plus actuelle des générations techniques, étendent nos fonctions intellectuelles (mémoires de papier puis de silicium, calculettes, ordinateurs, « réseaux pensants », etc.).

Il faut dissocier l'épithète *technique* des objets ou machines matériels. Le monde des opérations techniques concerne l'intimité de notre sphère corporelle, comme l'a montré Marcel Mauss dès 1936, dans un article célèbre où il recensait les techniques du corps (comme la gymnastique, l'hygiène ou le bercement...) ; et il façonne non moins intimement nos habitudes intellectuelles de penser/classer (pour mentionner un titre de Georges Perec). La décomposition alphabétique, la logique, la rhétorique ou les arts de la mémoire (étudiés par Frances Yates) figurent autant de machines formelles, ou de techniques immatérielles, qui ont accompagné et secondé l'effort millénaire d'analyse et de synthèse des connaissances, sans attendre nos ordinateurs.

Médias, milieux

Le mythe comme l'enquête anthropologique nous invitent donc à ne pas couper notre évolution biologique de nos genèses techniques, ou la biosphère de la technosphère : nous produisons une technique qui nous produit en retour, nos outils prolongent et accompagnent l'hominisation.

Les frontières du monde technique se laissent malaisément circonscrire. D'abord parce que nos techniques les plus intimes semblent nous appartenir en propre, et font dorénavant partie de notre nature. Les mêmes qui partent en guerre contre les prothèses artificielles de l'ordinateur, l'essor du virtuel et les menaces du calcul numérique en général, où ils projettent tous les fantasmes d'une déshumanisation machinique, ne songeraient pas à dénoncer les outils de l'analyse alphabétique, les mondes virtuels de l'écriture ou le simple calcul appris à l'école primaire, qui servent pourtant de base aux développements contemporains. Ensuite parce que tout jugement sur la « technique » prise en bloc nous place dans la situation d'être juge et partie : depuis quel métaniveau d'observation, libre de toute incidence technique, évaluer tranquillement celle-ci ? Nous sommes trop étroitement enchevêtrés aux machinations et aux ruses de la « technique », depuis celles du corps décrites par Mauss jusqu'aux modernes réseaux de communication, irrigués par des courants faibles qui semblent ramifier ceux de nos propres neurones. Le monde technique se laisse de moins en moins saisir de face ou sur le mode du vis-à-vis ; la frontière entre le vivant et la nature, d'une part, et l'ensemble des artefacts humains, d'autre part, est devenue difficile à tracer.

Il faut donc revenir sur le partage tranché, mais trop simple, présenté au chapitre I : il ne faut pas confondre, disions-nous, les relations pragmatiques (d'interaction entre sujets) avec les relations techniques de domination du sujet sur l'objet. Il convient à présent de décrire comment nos techniques traversent la biosphère, la sémiosphère et le monde social, interpersonnel autant que collectif, et nous parviennent le plus souvent enchâssées dans des relations pragmatiques. Comme l'étymologie nous y invite, il faut considérer nos médias sur le modèle d'un écosystème ou de *milieux* avec lesquels nous interagissons selon une causalité complexe, ou non linéaire.

2. De la causalité technique

Plusieurs écueils et malentendus menacent les recherches, désormais nombreuses, sur l'efficacité symbolique et sociale de nos outils techniques. La question principale tourne autour du déterminisme. Si nos médias constituent l'écosystème de nos représentations ou de nos idées, nous savons que celui-ci n'agit pas sur ses hôtes de façon linéaire : le milieu propose, l'individu dispose ; et inversement, il arrive que l'individu propose et que son environnement dispose ; le sujet d'une relation écologique n'a pas les coudées vraiment franches, il est contraint de *faire avec*. De même, les interactions entre le médium et le message s'annoncent complexes, et les ruses de la causalité technique ne sauraient être linéaires dans les champs psychologiques, symboliques ou sociaux. Une vision moins simpliste de l'innovation technique et de la logique des médias permettra de corriger le prophétisme des vendeurs qui, dans le domaine des NTIC particulièrement, nous promettent de merveilleuses relations sociales à coups d'outils proclamés révolutionnaires ou capables de nous « changer la vie ».

Autoriser plutôt que déterminer

On corrigera ce discours exagérément mécaniste en revenant au primat de la relation (examiné au chapitre II), et en rappelant que nos relations techniques sont nécessairement enchâssées dans des relations pragmatiques qui les précèdent et les pilotent. On s'accorde aujourd'hui à dire que si l'outil *autorise*, il *détermine* rarement. Ces deux verbes correspondent respectivement à des causalités négatives et positives : la causalité positive énonce que « si A, alors B » ; la négative se borne à constater que « si non-A, alors non-B », et elle correspond assez bien à ce que nous avons en tête quand nous parlons de condition nécessaire mais non suffisante.

Il semble clair par exemple que l'invention du caractère mobile par Gutenberg (autour de 1450) a formidablement accéléré la diffusion du livre, et par conséquent l'accès direct des lecteurs à de multiples messages, conduisant à une certaine privatisation des savoirs ; elle aurait donc favorisé dans cette mesure, sinon provoqué, le schisme protestant (Luther placarde ses thèses en 1517), mais aussi l'esprit de libre examen, donc l'essor du rationalisme puis de la philosophie des Lumières. Mais ces effets n'ont pu « prendre » que dans un milieu travaillé par quelques autres facteurs. L'invention de l'imprimerie supposait par exemple celle du papier bon marché (impossible de multiplier les tirages sur des supports aussi coûteux que le vélin ou le parchemin d'origine animale), mais aussi l'infrastructure de réseaux bancaires, la demande déjà bien développée d'un lectorat, etc. L'outil forgé par Gutenberg a eu des conséquences indéniablement révolutionnaires (au nombre desquelles la Révolution française peut-être), mais son énoncé se trouvait lui-même pris ou enchâssé dans un concert d'usages sociaux préexistants, et dans une foule de paramètres techniques ou moins techniques.

Un autre exemple de « causalité négative », nécessaire mais non suffisante, serait l'innovation résumée par Jack Goody sous le titre de *raison graphique* : ce que nous appelons raison, fondée en particulier sur le principe de non-contradiction, suppose impérativement des surfaces d'inscription. Sans écriture ou en régime oral, l'esprit ou la tradition critique baptisés *raison* n'avaient, argumente Goody au fil de ses recherches anthropologiques, aucune chance d'apparaître ni de s'implanter. Les mathématiques et la logique syllogistique en particulier exigent qu'on voie, et pour cela qu'on pose, ses opérations. Mais si l'écriture est la condition *sine qua non*, le ce-sans-quoi de notre tradition rationaliste, elle ne la détermine pas : notre raison est, en son fond, *graphique*, mais il ne suffira jamais de développer l'écriture pour développer la raison.

Ce sont ces autres paramètres qu'on oublie chaque fois qu'on décide technocratiquement, et parfois à grands frais, de greffer un outil sur un milieu social : d'introduire par exemple l'ordinateur à l'école, sans autre mesure d'accompagnement (sans formation des maîtres correspondante), ou d'exporter telle technologie, usine, hôpital ou administration modernes, dans tel pays du tiers-monde... Ces « transferts technologiques » produisent rarement les effets escomptés, faute d'une réflexion suffisante sur les *conditions* de l'efficacité technique.

La pragmatique enchâssante

Affirmer que l'outil autorise sans déterminer, c'est renouer avec notre distinction familière de l'énoncé et de l'énonciation, étendue ici au domaine des objets. Aucune technique ne porte son sens tout entier contenu à l'intérieur d'elle-même, pas plus qu'un énoncé n'est doué de sens hors de l'énonciation. L'intuition centrale de la pragmatique linguistique affirme que le sens ne réside pas dans les mots ni les phrases, mais seulement dans les intentions des usagers qui échangent et formulent ceux-ci. De même, une innovation technique programme sans doute certains usages, mais ceux-ci en retour détournent, modifient ou adaptent l'outil aux mondes propres des utilisateurs. De même que l'énonciation pilote et recycle l'énoncé, nous poserons que l'usage constitue une création continuée de l'outil ou de l'innovation.

La diffusion de l'innovation technique illustre une loi générale bien dégagée par la pragmatique : un « message » (qui peut être l'invention du téléphone par Edison, du cinématographe par les frères Lumière ou du Minitel par France Télécom) ne se propage qu'en se déformant au fil de ses reprises ou de ses usages successifs. Le programme tracé par l'inventeur à la source dessine certes un cadre de référence, mais celui-ci joue aussi comme espace de variations ou de modulations qui n'ont pu être entièrement prévues ni conçues d'avance : dans l'esprit de son inventeur, le téléphone devait servir à appeler les domestiques, ou à transmettre à domicile les airs d'opéra ; le cinéma avait pour débouché principal la décomposition scientifique du mouvement ; et les ingénieurs promoteurs du Minitel n'avaient pas imaginé les messageries roses... Essentiellement inachevés quand ils sont mis ou énoncés sur le marché, nos outils sont des éponges à usages, et ils n'arrivent à maturité qu'assez tard.

Il importe par conséquent de désaccoupler nos objets techniques d'une filière ou d'une filiation trop durement scientifique, et d'insister sur leur ouverture au *bricolage*, cet art ou cette science de l'usager. Les outils modernes nous arrivent bourrés d'instructions ou de paramètres scientifiques, mais ils baignent aussi dans le marché, dans le discours de la publicité et des médias, ainsi que dans un imaginaire ou un rêve social qui, comme tout rêve, ne parle ni en clair ni d'une seule voix. Très documenté dans l'ouvrage classique d'Elizabeth Eisenstein, l'exemple de l'imprimerie montre que celle-ci était grosse au départ d'effets sociaux et culturels contradictoires, et qu'une foule d'autres facteurs ont donné à l'invention de Gutenberg sa configuration et sa fécondité historiques. Ces remarques devraient nous retenir de confondre « la » technique avec le spectre écrasant du destin ; l'histoire, fût-elle celle de nos outils, est généralement moins linéaire qu'on croit.

3. Le temps technique

Nous caractériserons donc le monde des objets techniques comme ce qui bouge et qui ne peut cesser de se transformer. Mais la durée nécessairement courte d'objets soumis à un renouvellement incessant se trouve incrustée dans le long terme, ou le temps plus lent, des usages sociaux et des relations pragmatiques déjà tissées entre les hommes. Une innovation par définition toujours jeune doit composer avec des usagers beaucoup plus vieux, ou déjà dotés de routines et d'habitudes qui vont généralement freiner ou infléchir la trajectoire du temps technique.

Rythmes techniques et temps humain(s)

Notre société, comme nous le verrons mieux au chapitre VI, est ouverte ou sensible à l'*information*, cette valeur équivoque qui englobe en particulier l'innovation scientifique et technique. Cette ouverture, qu'on identifie quelquefois avec la mesure du progrès et du développement, nous pousse en avant, mais elle est aussi un facteur d'obsolescence, donc de perte de sécurité et de sens. Nous apprécions les performances toujours plus sophistiquées de notre technosphère, mais le renouvellement des objets, en modifiant notre environnement et nos relations, déclasse nos anciennes compétences, déplace nos repères familiers et constitue un incontestable facteur d'anxiété, particulièrement dans le monde du travail, où l'innovation technique dopée par la concurrence et la course au profit se traduit le plus souvent par des pertes d'emplois ou de pénibles reconversions. La chaîne de production industrielle impose son rythme, qui écrase le temps nécessairement plus aléatoire et plus lent de l'action individuelle ; et Charlot aux prises avec la machine dans *Les Temps modernes* illustre, au-delà des méfaits de la taylorisation et du travail à la chaîne, la désynchronisation toujours menaçante entre le temps technique et le temps humain.

L'histoire de chacun semble ainsi tressée de divers types de temps, depuis la succession accélérée et quasi cinématographique des informations jusqu'au temps presque immobile de la religion et des croyances. Les nouvelles de l'information ne cessent de se déclasser dans un *turn-over* incessant, comme, juste au-dessous d'elles, l'innovation technique verse à la casse ou range au musée des Arts et Traditions populaires la nouveauté d'hier : mon ordinateur, ma voiture ou mon fax dépasseront difficilement le cap des cinq ou six ans. En revanche, le message des grandes religions a traversé un ou deux millénaires sans altération notable ; nous admirons toujours les œuvres d'art nées des siècles passés (Michel-Ange n'a pas déclassé Giotto, et n'est pas lui-même dépassé par les impressionnistes ni par les avant-gardes, quelles que soient leurs proclamations bruyantes de « nouveauté »).

Contrairement au temps très lent, voire presque immobile, des grands récits qui structurent l'ordre symbolique ou la relation ethnique, le temps technique oriente la durée selon une flèche irréversible. L'ethnique (ou le culturel) et le technique marquent ainsi deux façons opposées de vivre le temps : la culture encourage les retours aux sources, les renaissances, les redécouvertes périodiques de telles œuvres oubliées et meuble nos vies avec de l'ancien, au point que le concept même de culture semble inséparable de cet approfondissement rétrograde du temps ; les sciences et les techniques en revanche ne s'encombrent pas d'un gros bagage historique et nous poussent à vivre *on line*, à la pointe du nouveau. L'exemple de l'armement et des machines de guerre illustre au fond cette exigence de nouveauté propre aux objets techniques en général, qui se livrent sur le marché une sorte de guerre au ralenti : une armée équipée d'armes à feu l'emporte généralement sur des tribus demeurées au stade des flèches (l'adverbe *généralement* nuance cette affirmation, pour tenir compte des facteurs non techniques mais pragmatiques de la guerre, tels que la connaissance du terrain ou la motivation des combattants).

Cliquets d'irréversibilité et effet jogging

Nous dirons que l'histoire des techniques en général est rythmée par des seuils qui jouent le rôle de cliquets d'irréversibilité. L'invention de Gutenberg sonne le glas pour les moines copistes du Moyen Âge ; de même, l'introduction de l'informatique et des calculettes marginalise inéluctablement les bouliers et les opérations qu'on gribouille sur le papier ; les chevaux ne courent plus la poste depuis le télégraphe optique et le chemin de fer ; les CD et les chaînes hi-fi remisent au grenier le Gramophone de mon enfance. Partout où la concurrence s'introduit, la performance doit suivre. Mais rien n'interdit, en dehors des sphères du profit et dans les marges du jeu, du sport ou de la culture personnelle, la permanence de la calligraphie, de l'équitation ou des 78 tours de cire actionnés à la manivelle. Et l'on voit encore, sur les marchés d'Extrême-Orient, les bouliers résister héroïquement à Sharp ou à IBM. Régis Debray a remarqué que les déplacements automobiles avaient tendance à remplacer la marche à pied, mais que les piétons empêchés de marcher se mettaient à courir, et il a baptisé ce retour de l'archaïsme « effet jogging ».

Nous appellerons donc *technique* en général l'ensemble des objets ou des opérations qui ne peuvent pas *ne pas* progresser parce qu'ils sont exposés au tournoi permanent de la concurrence ou, comme dirait Popper, de la falsifiabilité. Mais aux alentours de ce vecteur technique qui tend à épouser la ligne droite, la profondeur et les méandres du temps social mériteront d'être mieux scrutés. Combien de temps et de relais faut-il à telle innovation née dans la technosphère pour infiltrer et pénétrer de sa loi la sphère symbolique ? En combien de siècles l'homme occidental est-il devenu « gutenbergien », et combien de décennies faudra-t-il pour qu'il s'assimile pleinement l'électricité, la télévision ou les « nouvelles technologies » ? D'une façon générale, le regard que nous portons sur ces phénomènes demeure hypermétrope : nous voyons mieux de loin que de près, mieux Gutenberg qu'Internet. Et si nous remarquons bien, parfois jusqu'à la fascination, l'existence de nouveaux outils, nous percevons moins clairement leurs attaches sociales, imaginaires ou culturelles. Deux écueils menacent en général une médiologie (une pensée de l'efficacité des médias et des outils de relation) : celle-ci doit se garder du réductionnisme ou du déterminisme technique, et elle ne peut davantage se complaire dans une déploration passéiste. Nous saluons, dans le chapitre de *Notre-Dame de Paris*, « Ceci tuera cela », une anticipation visionnaire de sensibilité médiologique, sans pour autant souscrire à la thèse de Victor Hugo ; il n'est pas vrai en effet que le livre de papier ait tué la cathédrale de pierre, ni la foi chrétienne, et cet exemple nous enseigne que l'histoire des techniques et celle des idées ont des rapports nécessaires, mais plus compliqués. Dans le domaine des cultes en particulier, le retour d'archaïsmes « prégutenbergiens » peut s'appuyer aujourd'hui sur la télévision ou la diffusion de vidéocassettes ; les communautés de prière, les mouvements charismatiques, le télévangélisme ou, plus inquiétants, les intégrismes fanatiques se révèlent parfaitement compatibles avec les « nouvelles technologies » et un développement élevé des connaissances scientifiques et techniques. Ce retour lancinant des archaïsmes réfute assez cruellement les philosophies du progrès inspirées des Lumières et tous ceux qui croyaient, en plein essor du capitalisme et de la colonisation, que l'ouverture des écoles conduirait à la fermeture des églises et à l'extinction des prisons.

4. Tâches d'une médiologie

En dessinant au cours de différents livres le projet d'une médiologie, Régis Debray ne visait pas spécifiquement l'étude des médias. Avant de désigner nos organes de presse, ce terme pointe une fonction obscure et traditionnellement négligée : *médias* nomme en général ce qui se tient entre, et qui en nous reliant nous organise ; ce qui permet notamment de dire durablement *nous*. En deçà ou au-delà des médias au sens strict, une médiologie s'intéressera donc à ces milieux, indissociablement sociaux et techniques, qui façonnent et recyclent nos représentations symboliques, et nous permettent de tenir ensemble.

Cet obscur milieu conjonctif se compose de sujets (médiateurs) et d'objets (techniques) ; on y trouve de l'organisation matérielle (les corps constitués, les institutions, Églises ou partis...) et de la matière organisée (les outils ou médias proprement dits). Deux approches, *bottom/up* ou *top/down*, peuvent donc également rendre compte de ces phénomènes complexes :
— on peut s'attacher aux effets « ascendants », symboliques et sociaux, des mutations techniques. Comment le papier,

l'imprimerie, l'électricité ou aujourd'hui Internet modifient-ils nos régimes de mémoire, de savoir, d'autorité ou de croyance ? L'approche médiologique dérangera d'autant plus que l'écart entre le phénomène symbolique expliqué ou causé et le facteur technique expliquant sera perçu comme très grand par la conscience naïve. Quand, dans son *Cours de médiologie générale* (1991), Debray ose rapporter la religion monothéiste aux contraintes du nomadisme, ou la forme éternelle du divin aux impedimenta du transport, cette perspective peut sembler cavalière ! Mais Jack Goody ne sidère pas moins la conscience ordinaire quand il explique la forme réputée éternelle ou immanente de la raison par le développement de « simples » outils graphiques. Petites causes techniques, grands effets civilisationnels ;

— un autre courant de recherches voudrait mieux comprendre l'efficacité symbolique de nos idées, croyances ou doctrines. Comment se répand pratiquement un message (christianisme, marxisme), comment une doctrine évince-t-elle ses rivales pour devenir « incontournable » (psychanalyse) ? L'explication par la pertinence ou la vérité du message, toujours avancée par les croyants, semble un peu courte au médiologue, qui ne croit pas en l'efficacité des idées et qu'étonnent diverses formes de transmission. Avant Newton, on ne s'interrogeait pas en voyant tomber les pommes ; on ne s'étonne toujours pas de voir les doctrines se répandre, ou une forme d'imaginaire s'imposer au détriment d'une autre. On préférera dire, tautologiquement, que le propre de la raison est de se diffuser, automatiquement, comme se propagent les rayons du soleil ou la « lumière naturelle » (métaphore cartésienne de la raison) ; et on trouvera raisonnables ceux qui pensent comme soi.

Contre ces évidences naïves, il convient de rappeler qu'un espace de propagation n'est jamais vide, mais toujours déjà saturé de messages ou de représentations consistantes ; que la culture ayant horreur du vide, l'esprit humain n'est jamais à court d'explications ni de doctrines satisfaisantes ; que personne n'attend donc un message porteur d'une information nouvelle, c'est-à-dire potentiellement dérangeante, et que la tendance sera plutôt d'étouffer celle-ci, ou de la combattre. Qu'il n'y a pas en d'autres termes de transmission gratuite, mais qu'il faut toujours payer pour extraire, traiter, acheminer ou répandre une forme quelconque d'information. Notre raison par conséquent, bien loin d'être universelle, est un artefact toujours local, et qu'on s'efforce matériellement, laborieusement de généraliser en construisant certains réseaux.

Il faut des outils pour penser, c'est-à-dire pour connaître, croire, imaginer, se souvenir, désirer, mais aussi pour transmettre et avoir en commun. En révélant quelques facteurs cachés, et humblement matériels, de ce qu'on appelle la pensée, l'enquête médiologique s'inscrit en réduction contre des explications plus grandioses, et il en résultera fatalement pour tous les idéalismes une sorte renouvelée de blessure narcissique ; nous n'aimons guère penser les conditions de notre pensée. Nos médias en général ont des logiques que la raison dominante ignore.

Après le tournant sémio-linguistique, suivi et corrigé par le tournant pragmatique, le tournant médiologique complète et articule entre eux les facteurs de l'énonciation et les paramètres du *faire sens*. En descendant jusqu'aux conditions matérielles de nos abstractions symboliques, la médiologie remet en mouvement et en perspective historique des représentations qui tendent à se figer dans la majesté idéale des superstructures. En les réinsérant dans le flot incessant des outils techniques, elle peut du même coup révéler les solidarités, mais aussi certaines incompatibilités ou des contradictions imparables entre telle configuration médiatique et telle performance symbolique ; entre tel médium et tel message, ou style de pensée. On ne peut pas attendre de la vidéosphère — cette époque ouverte par la radio, la télévision, l'audiovisuel et la montée en puissance du *direct* en général — qu'elle prolonge et entretienne les promesses nées de la graphosphère, qui reposait essentiellement sur les transmissions de l'écrit et du livre.

Vivant au point de frottement des deux sphères, nous voyons avec nostalgie s'éloigner une forme de culture liée au livre, et avec incompréhension, donc inquiétude, advenir d'autres formes d'imaginaire, de savoirs, ou d'autres façons d'être ensemble. Le temps de la culture se trouvant nécessairement en retard sur celui des outils, ce décalage nous pousse à juger une médiasphère selon les performances et les critères instituants de la précédente : à évaluer la télévision selon les valeurs du cinéma, les écrans à l'aune des écrits, ou Internet avec les valeurs du livre. Que de dissertations renouvelées du « Ceci tuera cela » pour déplorer, avec moins de talent que le poète, la fin de la culture et la barbarie des nouveaux médias ! Mais les bons esprits qui partent en guerre contre la télévision, Internet ou le « virtuel » commettent la faute logique de se tromper d'étage, ou d'adresse : ils oublient que cette culture ou ce réel, dont ils se réclament si fort, n'ont jamais cessé d'être des artefacts ou des catégories techniques, conditionnés par les outils disponibles ; et ils demandent au pommier de produire des poires. Un peu de culture technique devrait corriger ces récriminations, qui auront beaucoup alourdi nos études. La médiologie n'est pas une mélancolie.

Contenir le réel

Un outil technique est toujours un rapport social, et nos relations sociales sont informées et médiatisées par des dispositifs techniques. La relation pragmatique et la relation technique tournent dans un cercle. Nos études de communication doivent donc toujours embrasser, ou ne jamais disjoindre, les aspects symboliques et techniques des phénomènes. Mais pour la même raison communicationnelle ou médiologique, on ne séparera pas davantage l'individu et le milieu, soi et les autres, le monde intérieur et le monde extérieur.

Fréquemment présenté, à la suite de Leroi-Gourhan, comme un processus d'extériorisation des organes ou des facultés internes, l'objet technique articule ou médiatise les deux mondes en ouvrant un troisième espace, ni intérieur ni extérieur, et qu'on nommera avec le psychiatre Winnicott *espace potentiel.* On a pensé chichement en s'enfermant dans une psychologie, une sémiologie, une sociologie ou une technologie, dont les explications ne fonctionnent qu'en se traversant incessamment les unes par les autres. Sous ces diverses *-logies* qui découpent des savoirs, il faut chercher une médiologie, c'est-à-dire une approche des espaces potentiels où se règlent les tractations de nos couples antagonistes-complémentaires.

La grande question demeure celle de notre rapport au réel, à ce « point d'horreur du réel » dont parle le psychanalyste Jacques Lacan, ou déjà Sartre dans *La Nausée* ; et de comprendre comment nous *contenons* celui-ci, aux deux sens de ce verbe remarquable, par des remparts et des dispositifs à la fois sémiotiques et techniques, par les constructions symboliques de nos croyances et de nos illusions vitales. Une vision trop intellectualiste des médias nous limite encore, dans l'examen de leurs fonctions, à celle de transmettre des informations. Mais comme nous le verrons au chapitre VI, les médias nous servent aussi, et peut-être avant tout, à filtrer le réel, à étendre l'espace potentiel du « ni dedans ni dehors », et à favoriser en général une relation de confiance et de jeu avec les excitations venues des autres et du monde extérieur.

Comment se désenchevêtrent progressivement ces deux mondes, d'abord vécus dans la confusion primaire, en libérant entre eux l'espace potentiel des objets transitionnels et techniques, soit en général des médias ? Comment l'individu et son milieu s'équilibrent-ils mutuellement dans un jeu croisé de *biofeedbacks* ? Par quels objets-prothèses et objets-miroirs parvenons-nous à adoucir et à euphémiser les poussées du réel ? Quelles valeurs morales et symboliques se trouvent incorporées à des objets techniques désormais accessibles au plus grand nombre ? Une médiologie conséquente devrait s'intéresser à la dimension technique de l'expérience quotidienne ; elle mettrait en lumière la stabilisation de nos relations par les industries du *faire croire*, et par les innombrables dispositifs de médiation qui nous contiennent, nous organisent et nous accordent d'accomplir cette prouesse essentielle à toute société suffisamment bonne : *vivre ensemble séparément.*

VI / Ouverture informationnelle et clôture communicationnelle

Faut-il opposer communication à information ? Il n'est pas facile de concevoir exactement leurs rapports, ni de délimiter leurs domaines respectifs. Si ces deux mots se recouvrent mollement, et qu'on emploie l'un pour l'autre, nous croyons qu'un partage majeur dans notre domaine d'étude se trouve annulé. Tentons au contraire de mettre ces mots sous tension et d'esquisser à partir de leurs concepts respectifs une dialectique féconde pour nos SIC.

Nous poserons que l'information suppose en général la communication, où l'on peut voir la base dont elle émerge, mais que cette condition n'est pas symétrique : la communication ne conduit pas toujours à l'information, et s'en passe même assez bien. Dans un fou rire, dans la chaleur communicative des émotions, dans l'observance d'un rituel ou la participation aux règles d'une culture en général..., les hommes s'éprouvent reliés et membres de la même communauté, sans que cette conscience se rattache à un contenu cognitif — à une information — en particulier. Nous dirons, en hommage à une traditionnelle distinction des manuels de philosophie, que l'information vaut et se mesure dans le champ de la connaissance, et la communication dans celui de l'action et de l'organisation. De ce partage découle que la seconde précède et conditionne nécessairement la première.

1. La communication première

Ce primat de la communication sur l'information peut s'établir en remarquant par exemple que le verbe *communiquer* se conjugue aisément à l'intransitif, comme si l'action ou l'état qu'il désigne conservaient une forme secrètement réflexive, voire impersonnelle : « Entre nous, dit le couple, ça communique bien » (ou « On n'arrive plus à communiquer »). La grammaire de ces phrases nous montre dans le sujet de la communication un être indistinct, ou peu définissable. Le verbe *informer* en revanche exige un sujet et un complément d'objet nettement désignés ; la grammaire de l'information est clairement secondaire, alors que celle de la communication peut demeurer primaire.

Ce couple terminologique emprunté à la psychanalyse éclaire et renforce notre distinction. Le processus secondaire désigne chez Freud le domaine des actions finalisées et des représentations articulées ; stabilisé dans des conventions ou dans des formes logico-langagières, il gouverne la vie diurne de notre conscience. Le processus primaire, de son côté, écrase ou confond tout ce que l'autre articule : le signe et la chose, le moyen et la fin, le sujet et l'objet, soi et les autres, les différences inhérentes à l'espace et au temps... Désigné comme un *Ça* massif et magmatique, c'est lui qui gouverne le rêve et diverses rêveries, mais aussi l'effondrement psychotique. Secondaire, l'information donne lieu à des contenus, elle est soumise au principe de réalité, donc à l'alternative du vrai et du faux (on vérifie ou l'on réfute une information). Quelle pourrait être en revanche la vérité d'une communication ? Davantage aimantée par le principe de plaisir (le plaisir d'être ensemble, ou abrité dans une relation inconditionnelle), il arrive que la communication se moque de la vérité parce qu'elle réside en deçà, dans le tressage du lien, le prolongement du contact ou l'euphorie communautaire. On ne demande pas aux liens en général d'être vrais, mais authentiques, chaleureux ou forts, valeurs assez différentes. Et l'obligation faite à ceux qui passent à la radio ou à la télévision « d'être soi-même et d'avoir le contact » ne garantit nullement la vérité de leurs messages.

Notre première relation

Nous avons critiqué au chapitre IV une vision logocentrique de l'activité sémiotique, et au chapitre V une conception utilitaire de la technique et des médias. En revenant ici à la première des communications, celle de l'enfant dans les bras de sa mère, nous aimerions de même écarter une saisie trop objectivante et individualisante de notre vie relationnelle. La première relation, qui a fondé par définition l'existence de chacun et hors de laquelle l'individu ne peut guère espérer se développer normalement, n'a pas en effet relié deux personnes. Au commencement, la mère et l'enfant ne faisaient qu'un, et tout le jeu des premiers échanges aura consisté à isoler et à articuler deux entités d'abord enchevêtrées dans une confusion primaire. Comme l'a fortement souligné Winnicott, « un nourrisson ça n'existe pas », entendons : sur le mode séparé de l'individu ou de la personne.

La mère ne s'ajoute pas au corps de son enfant comme une prothèse technique mais comme une enveloppe nourricière, ou comme ce milieu dont lui-même provient. Il n'a pas recherché ni construit cette première relation, elle lui a été donnée comme la vie même, elle l'a transi dans une passivité originaire. Nous ne dirons donc pas de l'enfant qu'il possède sa mère sur le mode d'un objet extérieur car, avant toute relation d'objet ou d'avoir, il s'agit d'être. De même, au comble de ses relations existentielles, l'individu se trouve hors de soi et modifié par elles — dans l'amour, la transe, le mimétisme, la suggestion, l'influence. Ces mots contigus cernent les trafics primaires, et combien obscurs, de l'*identification*, au terme desquels émerge un sujet, capable d'affronter d'autres sujets et de manier des objets. Mais la première relation ne comporte ni sujet ni objets ; elle est intransitive et, comme dit Winnicott, transitionnelle, elle étend et structure peu à peu cet « espace potentiel » qui n'est ni de l'un ni de l'autre, qui ne relève ni du monde extérieur ni du monde intérieur, et qui va servir de matrice à nos échanges, à nos médiations — à nos médias.

Communiquer, disions-nous au chapitre II, c'est mettre et être en commun, avant ou indépendamment de tout envoi de messages particuliers. Il nous semble indispensable, pour penser dans leur profondeur les phénomènes très disparates recouverts par ce verbe équivoque, de remonter grâce aux concepts de la psychanalyse jusqu'à la relation originaire ou primaire, sans laquelle nous aurions peu de chances d'en vivre aucune autre.

Hypnose, influence, transe

Ces états modifiés de conscience désignent une situation où le contenu de la communication approche de zéro, tandis que la relation tend vers l'infini. Ils constituent du même coup la part aveugle de nos échanges : la transe est familière à chacun, mais elle n'est pas « bonne à penser ». Nous nous croyons originaux, individués ou séparés ; nous n'aimons pas, et nous pouvons à peine fixer notre regard sur ce qui nous transit. Ces états — bains de foule, enthousiasmes collectifs, extases esthétiques ou amoureuses — nous laissent légèrement hébétés, et frappés d'amnésie ; nous n'avons guère de mots, ni de catégories, pour cadrer ce qui reconduit l'individu, en lui et hors de lui, à la masse indistincte.

Les usages cliniques de l'hypnose ont été développés et théorisés notamment par Milton Erickson, qui fut proche de Bateson et de ses disciples. Il est assez troublant, au vu des enregistrements vidéo de ses consultations, de comprendre que le flux de l'influence (le « magnétisme », comme on disait du temps de Mesmer) court dans les deux sens et que le thérapeute se met lui-même en transe. L'hypnose maniée par Erickson n'est pas la domination d'un esprit sur un autre, mais un co-pilotage très fin, mutuel et vigilant, de la relation ; non pas le sommeil, mais l'ajustement et la mise en commun d'une même expérience émotionnelle.

On a souvent comparé l'hypnose à un amour désexualisé, proche de l'état d'élation ou d'abandon confiant de l'enfant dans les bras maternels. Cette régression n'a rien d'effrayant, et ses usages thérapeutiques attestent qu'il y a dans la transe une vertu de réparation et de réorientation pour l'individu. Nous compléterons donc la formule de Watzlawick, « on ne peut pas *ne pas* communiquer », en posant qu'on ne peut pas davantage *ne pas influencer*. Influence et suggestion sont des termes souvent pris en mauvaise part, et connotés comme aliénation, alors qu'ils constituent aussi le sel de la vie. Comment grandir, comment apprendre ou s'orienter dans l'existence à l'écart de toute influence ? Sous le terme de mimétisme, René Girard a médité au fil de son œuvre sur ces phénomènes, qu'il a placés à juste titre au cœur de nos communications intersubjectives. Mais ce qui couve dans le feu amoureux peut se révéler dangereusement ambivalent entre les mains des chefs, des dictateurs ou des prophètes ; on ne sait pas où commence, où finit l'influence, ni où celle-ci nous entraîne. Raison de plus pour faire à ce soleil noir une place dans nos études et pour tenter, depuis la microscopie des échanges interpersonnels jusqu'aux communications de masse, de mieux cerner son rayonnement, de le « ponctuer ».

La communauté réduite aux affects

L'exemple du fou rire et le détour par l'énigme de l'hypnose nous ont servi à pointer parmi les composantes du lien social le mimétisme ou la contagion, et à désintellectualiser ainsi les phénomènes de communication : non seulement ce n'est pas la science ni les valeurs du *logos* qui rassemblent les hommes, mais ce qui nous relie vraiment gagne à ne pas être clairement reconnu.

Une communauté de rieurs, une équipe de supporters ou un groupe de fidèles opposent une clôture infranchissable aux efforts secondaires d'argumentation ou de raisonnement. On ne réfute pas un rêve, un amour ni une culture partagée ; contre certaines valeurs premières, ou relations vitales, les certitudes extérieures tirées de l'examen raisonnable des faits et les mots pour les dire se brisent comme du verre. De même, un débat entre adversaires politiques ne semble pas reposer sur des échanges d'informations. La croyance religieuse et sa permanence au cœur des sociétés illustrent bien cette clôture du collectif face aux assauts du monde extérieur. L'étymologie du mot « religion », du latin *religare* (« relier ») et *religere* (« recueillir »), indique d'elle-même les deux axes de la croyance : selon la communauté des fidèles, ou selon le recueil et la méditation de la doctrine. La seconde sans doute s'enchâsse dans la première, et pour les catholiques en particulier on ne connaît bien le message de l'Évangile (bonne nouvelle et information par excellence) qu'immergé dans la communauté de l'Église, qui désigne à la fois le bâtiment et le corps collectif des croyants. La relation ici encore, ici surtout, est première, et on peut faire par elle l'économie du contenu de la doctrine. Du temps où les fidèles chantaient en latin, soutenus par l'orgue et l'encens, entendaient-ils parfaitement le contenu de leurs paroles ? La vérité du Credo s'éprouve dans son énonciation, et elle culmine dans l'extase groupale de la messe.

De même, on n'adhérait pas au Parti communiste de la grande époque parce qu'on avait lu Marx ou des critiques convaincantes du capitalisme, mais par solidarité avec les opprimés, et pour renverser le rapport de force en se battant à leur côté. Les hymnes révolutionnaires, quelques films ou poèmes auront beaucoup fait pour cristalliser certains engagements : un grand parti, une Église, une armée *se chantent*, et cette preuve lyrique suffit généralement à cimenter la communauté des affects en deçà ou au-delà de toute raison. Quel argument opposer en effet à une brigade d'enthousiastes chanteurs ? C'est bien le cas de redire, avec Bateson, que « communiquer c'est entrer dans l'orchestre ».

Nos médias sont ainsi consacrés, pour une bonne part, à stabiliser et à étendre le sentiment d'appartenance. Il est vital pour chacun de s'inscrire dans une culture, et il n'y a pas de culture sans clôture, pas de communauté sans frontières sécuritaires ou sans dispositifs à la fois symboliques et techniques pour garantir cette fermeture. Une culture se définit moins en termes de connaissances positives que par ce qu'elle donne le droit d'exclure ou d'ignorer. Nous proposons par là d'envisager nos médias et certaines techniques de communication moins comme les extériorisations de nos fonctions biologiques de liaison et d'action sur le monde extérieur, selon le schéma de Leroi-Gourhan, que comme des perfectionnements et des extensions du cocon primaire baptisé espace potentiel, qui se noue et se polarise dans la première relation entre la mère et l'enfant.

On discute trop souvent la « question des médias » en termes de vérité, et l'on déplore régulièrement qu'ils nous endorment ou nous abusent. Mais on les juge alors selon les critères de l'information, en méconnaissant leur fonction première de communication, c'est-à-dire de liaison et d'enveloppe. En insistant ici sur ces valeurs primaires et vitales, nous aimerions pointer sous la carte indéfiniment ouverte du monde connu, ou à connaître, la carte plus restreinte du monde (où l'on est) reconnu, et au fond la carte du monde aimé. Nous ne demandons nullement à nos médias une ouverture indéfinie sur le monde, mais d'abord une circonscription sécuritaire et identitaire, la production et la stabilisation d'un monde miroir qui donne le sentiment d'être chez soi, où le réel ne filtre qu'à petites doses, et où la question de la vérité au fond se pose assez peu. Car en deçà de la vérité, la grande exigence existentielle pour chacun est d'éviter l'ennui, d'entretenir le goût de vivre et de considérer pour cela sa propre vie avec un minimum de confiance, en englobant dans cette confiance un peu du monde des autres.

Notre monde intérieur, sauvage, mal socialisé, est traversé de pulsions désordonnées et de désirs fous ; le monde extérieur, rempli de bruits et de fureur, n'est pas moins incompréhensible. Entre ces deux infinis également chaotiques et grondants, notre conscience navigue sur une mince frange intermédiaire, dans un espace potentiel protecteur ou réparateur qui n'est ni du dedans ni du dehors, mais qui équilibre leurs poussées respectives. C'est dans cette zone tampon, tissée de médiations techniques et de signes, que chaque individu trouve son assiette, son identité et son sens. Comme nos enceintes sémiotiques (chapitre III) ou techniques (chapitre V), le papier et le verre de nos ceintures médiatiques, faites d'écrits et d'écrans, nous servent d'abord à *contenir* les morsures du réel, et creusent dans l'opaque et trop vaste monde une niche où abriter nos vies.

2. Le travail de l'information

La notion d'*information*, qui recouvre à la fois les données, les nouvelles et la connaissance, constitue comme l'a dit Heinz von Foerster un « caméléon conceptuel » particulièrement vicieux. Sans pouvoir reprendre ici les développements d'un autre ouvrage (1995) où nous avons tenté de débrouiller ce concept majeur, nous rappellerons le lien essentiel entre la valeur d'information et celle d'ouverture. Nous vivons dans une société *ouverte* (selon la caractérisation de Karl Popper), c'est-à-dire sensible à l'information et au changement, contrairement par exemple à une société monastique, ou à divers totalitarismes, pour lesquels l'Histoire semble dorénavant écrite, et où l'on se borne à psalmodier son Grand Récit.

De même nos organismes, quoique rigoureusement clos dans une forme qu'ils passent leur vie à entretenir et à tenter de reproduire à l'identique, sont ouverts à certains échanges énergétiques et informationnels. « L'homme ne vit pas seulement de pain », mais aussi de la réception, du traitement et de l'émission de certains signaux ; et l'on sait que le supplice des cellules de privation sensorielle peut conduire au dépérissement et à la mort. L'information nomme donc en général cet *appel*, venu d'un monde extérieur, qui traverse notre clôture pour guider, enrichir et éventuellement compliquer nos vies.

Mondes propres et pertinence

Mais si nous sommes des machines à traiter de l'information, celle-ci, pour mériter ce nom, doit être compatible avec notre monde propre, c'est-à-dire voyager sur des signaux que nos organes des sens savent percevoir et synthétiser ; donc compatible également avec notre culture, cette sphère qui enveloppe la biosphère organique d'une couche concentrique, plus sélective et filtrante. Retranchés derrière cette double clôture, organique et culturelle, nos cerveaux se montrent très réceptifs à quelques signaux ou appels venus du monde extérieur et rejettent tous les autres dans le *bruit*. Il n'y a pas d'information ni de bruit en soi, cette valeur est toujours relative à l'exposition sélective des mondes propres ou de la clôture informationnelle de chacun. Un chat, très sensible aux évolutions d'une mouche sur la vitre, demeure indifférent aux caractères et aux photos imprimés sur le journal de son maître ; mais celui-ci de même se montrera sélectivement sensible aux informations de tel titre, à l'exclusion d'autres journaux (les lecteurs du *Figaro* et de *L'Humanité* évoluent généralement dans des « mondes propres » assez différents). On résume cette importante idée du cloisonnement des mondes propres et de l'exposition sélective en rappelant que la valeur principale d'une information réside dans sa *pertinence*.

Quel effet cela ferait-il d'être une mouche, un ver de terre, un ours ou un oursin ? Nous avons très peu de moyens de le savoir, tant ces organismes habitent des mondes propres incommensurables. Répondre que leur réalité nous échappe revient à faire de cette réalité une catégorie technique ou médiologique : chacun appelle « monde réel » cette mince couche des signaux pertinents qui lui permettent de creuser sa galerie ou sa niche dans l'opaque immensité extérieure.

Entre la redondance et le bruit

Sans exposer ici la théorie mathématique de l'information présentée par Shannon et Weaver, il est important de comprendre ce que leur formalisation a mis en pleine lumière : nous appelons information une variation qui arrive à une forme, et cette variation éventuellement se mesure, donnant ainsi carrière à une science. Pile ou face ? La pièce lancée ne peut à l'arrivée prendre que ces deux états, et elle délivre ainsi un *bit* (un choix binaire) d'information. Si le même morceau de métal lancé pouvait adopter n'importe quelle forme, retomber sur la tranche, ou en pétales de fleur, ou s'envoler papillon, ou exploser..., l'imprévisible chaos des séquences possibles n'entraînerait aucune information, et aucune synthèse de la connaissance ne serait possible. Nous appelons *information* l'événement qui émerge sur le fond stable d'un horizon d'attentes ou de configurations plus ou moins prévisibles. Et les codes (les « interprétants » de Peirce) qui structurent notre perception, notre langue, nos jeux ou notre culture en général constituent autant de filtres pour fermer cet horizon et rendre les phénomènes décidables, ou saisissables les *coups* joués.

« Tu ne me chercherais pas si tu ne m'avais déjà trouvé. » La formule de Pascal exprime fortement cette idée que toute connaissance évolue sur un fond de reconnaissance, ou de monde propre. Un événement radicalement nouveau — qui bouleverserait tous les paramètres de notre entendement — nous demeurerait donc imperceptible. De même nous appelons hasard pur, et négligeons comme tel, une séquence de signes dont l'ordre semble ne relever d'aucun code : ckjsdfbpqsudk*£... (Il arrive toutefois que certains de ces « messages », depuis le dadaïsme et diverses avant-gardes, fassent une carrière artistique.)

Si notre appréhension de l'information meurt par excès de désordre ou de bruit, on observe inversement qu'elle s'éteint dans la redondance ou la prévisibilité pure : une répétition comme telle n'apporte nulle information ; une lapalissade ou une évidence pas davantage (à condition, ici encore, de négliger certains usages poétiques ou esthétiques en général). Mieux je peux déduire une phrase ou un message *y* d'une phrase ou d'un message *x*, et moins *y* m'apportera d'information — mais *y* peut avoir d'autres valeurs, expressives, conatives, poétiques ou communicationnelles en général. C'est ainsi qu'on appelle *langue de bois* les discours, généralement politiques, aux tournures et aux thèmes trop prévisibles ; quand il arrive par exemple que l'auditeur soit capable avant l'orateur d'achever ses phrases. Mais ces énoncés dont le contenu n'apprend rien à personne ont, comme ceux de la politesse ou du rituel, d'autres fonctions, relationnelles ou sécurisantes.

Le grand jeu de l'information se déroule donc entre les écueils, symétriques et également mortels pour celle-ci, de l'ordre et du désordre purs ; entre le *cristal* d'une prévisibilité rigide et la *fumée* du chaos. Un esprit exagérément rigide n'apprend rien ; un esprit fumeux non plus. Et les mondes correspondants engendrent, d'un côté, l'ennui (quand rien n'arrive), de l'autre, l'anxiété (quand tout peut à chaque instant arriver). On voit par ces remarques à quel point une information bien tempérée est le sel de la vie ; ou que nos vies, comme nos informations, ont pour commun modèle le jeu, qui tire à partir de règles stables (la *forme* convenue au départ) une série imprévisible de variations ou de *coups*.

Ce qu'on peut laisser tomber

Il convient de souligner enfin que l'information n'est pas l'énergie, et qu'elle n'agit pas sur nous à la façon d'un réflexe ou d'un stimulus entraînant une réponse. Le monde de l'information évolue dans la sémiosphère (chapitre III), c'est-à-dire dans celui des relations ternaires et non « entre paires ». Ce point, fortement argumenté par C. S. Peirce, découle également des notions de monde propre, de code et de clôture informationnelle : un organisme, tant qu'il est vivant, ne se laisse pas enchaîner à son environnement par des relations mécaniques ou de type stimulus-réponse (« triviales » au sens de Heinz von Foerster), il *interprète* celui-ci, et ces relations qu'on dira sémiotiques qualifient en somme ce qu'on appelle information, dont la valeur recoupe aussi notre degré de liberté.

L'information appelle un traitement, et le non-traitement fait toujours partie des options possibles (à nos propres risques bien entendu). Nul ne nous force, en démocratie, à regarder la télévision ni à lire les journaux. L'illettrisme, voire l'autisme ne sont pas des crimes : on peut toujours zapper une information, la remplacer par le rêve, ou laisser tomber. Et c'est pourquoi, en matière de sécurité publique par exemple, il arrive que l'information ne suffise pas. Mais à quel moment faut-il recourir à la contrainte ? Dans le cas par exemple d'un chantier d'autoroute, on distingue trois types d'avertissement : des panneaux « symboliques » au sens de Peirce (des chiffres nous demandent progressivement de décélérer), puis une icône (la poupée d'un ouvrier agitant un drapeau), un signe indiciel d'obstacle enfin, les « gendarmes couchés ». Ce dernier dispositif, à vrai dire, est à peine informationnel ou sémiotique, le signe qu'il apporte se confond avec un choc qui ralentit mécaniquement la voiture, si d'aventure son conducteur était demeuré insensible aux informations précédentes. En matière de campagnes d'information publique (sur la planification des naissances, les dangers du tabac, la sécurité routière ou la prévention du sida), les pays démocratiques choisissent en général de multiplier l'information plutôt que de contraindre — mais tous les régimes n'ont pas cette douceur.

S'informer fatigue

En bref, l'information se traite, s'achète et se vend, éventuellement s'arrache ; elle correspond à un travail et c'est pourquoi, comme l'a fortement résumé Ignacio Ramonet à la suite de la guerre du Golfe (*Le Monde diplomatique* de mai 1991), « s'informer fatigue ». La vérité n'ayant pas nécessairement bon visage, nous fuyons spontanément quantité d'informations qui dérangeraient outre mesure nos mondes propres.

Cette valeur de vérité, par ailleurs, intimement liée à celle d'information, rattache fermement celle-ci au principe de réalité : on vérifie, on réfute ou on recoupe une information. De sorte que les appareils d'information, chargés de construire et de dire ce que nous appelons le monde réel, occupent l'épicentre d'une lutte permanente ; dans la plupart des pays, le ministère de l'Information, le siège de la télévision et des grands médias sont des lieux sensibles, et il faut beaucoup d'héroïsme aux journalistes pour continuer à faire leur métier sous certains régimes. Chaque année, le rapport de *Reporters sans frontières* dresse la carte de l'information sous tutelle et publie la liste des journalistes emprisonnés ou tués pour délit d'investigation.

Le journaliste n'a pas le monopole des nouvelles ou des contenus à transmettre : l'enseignant, le chercheur scientifique, l'enquêteur ou, dans une moindre mesure, l'artiste apportent des messages qui peuvent être des facteurs d'ouverture, donc d'insécurité ou de trouble. Il est constant que pour atténuer celui-ci nous consommions l'information véritable à doses homéopathiques, et toujours enchevêtrée à la communication. Promenons-nous sur la bande FM ou sur la grille des programmes : les pages d'information y sont fortement minoritaires face aux plages de variété, de jeux, de chansons, de publicités, de relation et de relaxation. Et l'expression « se mettre au courant » n'implique pas forcément une vigilante conscience critique dans le traitement du flot. Mais quelle que soit la médiocrité (la recherche de l'audience *moyenne*) régulièrement dénoncée par les contempteurs des médias de masse, il arrive assez souvent aussi qu'une information inattendue se faufile à travers le flot. C'est de nos appareils d'information, malgré leurs défauts criants, que dépend l'ouverture de notre société, sensible au monde des autres, et jamais cette ouverture n'a été plus grande qu'aujourd'hui. Nous sommes incomparablement mieux informés des affaires du monde que ne l'étaient nos parents ou nos grands-parents, et nous n'avons, pour ce qui concerne en général l'état de la presse et des médias, aucun âge d'or à regretter.

3. La communication contre l'information

Récapitulons brièvement quelques situations où une communication trop pressante, ou séduisante, empêche une information véritable de décoller ou de s'en extraire.

L'impératif du consensus

Le primat de la relation implique souvent le ménagement de l'autre. On ne dit pas volontiers la vérité à un grand malade ; de même, il est difficile, face à la justice, dans les journaux ou devant l'opinion publique, de traiter impartialement sa famille, son réseau de relations, son parti ou son propre pays. L'affaire Dreyfus a tragiquement illustré l'*omerta* dont bénéficiaient l'armée française ou des officiers au-dessus de tout soupçon. Mais le même « chauvinisme » protège toutes les enclaves communautaires qui nous hébergent : partout où l'individu a tissé son cocon familial, amical, social ou professionnel, il n'est plus libre d'enquêter ; l'impératif de (bonne) relation euphémise le contenu des messages, le tranchant de l'information se trouve émoussé dans le circuit éprouvé du lieu commun.

Serge Halimi (1997) a nommé « journalisme de révérence » cette autocensure qui retient la plume ou la parole de nos informateurs, dès que leur maison ou l'une de ses filiales tombent dans l'actualité des affaires ou des mises en examen. Nul n'attend du présentateur vedette de TF1 des révélations sur Bouygues, ni sur ses propres démêlés judiciaires ; *L'Express* ou *L'Expansion* auront tendance à ignorer les affaires de la Compagnie générale des eaux, qui contrôle ces hebdomadaires — parmi beaucoup d'autres supports — après avoir absorbé Havas ; et l'on ne trouvera pas au catalogue des éditions Hachette un livre d'investigation sur le *lobbying* de Matra… À l'exception du *Canard enchaîné*, souverainement indépendant, on sait que les journaux sont vendus deux fois, à leurs lecteurs mais d'abord à leurs annonceurs. L'indispensable manne publicitaire ne peut rester sans effets sur certains choix de la rédaction.

L'infiltration publicitaire

Où passe, dans un journal, imprimé ou audiovisuel, la frontière entre l'information et la communication ? Depuis que les attaché(e)s de presse et les publicitaires se sont baptisés communicateurs, deux logiques ou deux métiers s'affrontent clairement : les journalistes, d'un côté, payés pour extraire, traiter et présenter au mieux l'information au public ; et divers communicateurs, de l'autre, qui savent bien que « trop de pub tue la pub » et qu'en conséquence il n'est rien de mieux, pour sauver l'efficacité de celle-ci, que de glisser de l'enclos réservé aux spots et aux annonces vers les plages prestigieuses de l'information proprement dite. À quelle limite infranchissable se heurtera la prospection de nouveaux supports ? Les jeux télévisés, le sport, les variétés se trouvent depuis longtemps criblés par les sponsors et les marques ; les journaux télévisés connaissent périodiquement quelques dérapages voyants ; certains téléfilms ou films à large audience (*James Bond*) servent de colonne Morris à la réclame ; et l'on propose déjà aux usagers du téléphone des minutes de communication gratuite contre des coupures publicitaires… Mais parmi tous les supports de la pub, le plus rentable demeure à l'évidence celui de l'information même.

Un filet ou une typographie différente distinguent en général dans la presse écrite les « publireportages » ; quant aux coupures publicitaires, elles ont au moins le mérite de la franchise. Mais dans plusieurs domaines cette frontière devient floue : où s'arrête l'information et où commence la promotion en matière de culture (parler d'un livre, présenter un spectacle ou un courant artistique), de tourisme (découvrir un pays, une région), mais aussi d'idéologie politique ou religieuse ? Il est souvent malaisé pour le journaliste lui-même, harcelé de pressions et de complaisants « dossiers de presse », de maintenir le cap d'une information véritable sans rien céder aux sirènes de la communication. Deux critères simples pourraient l'aider à faire le tri :
— l'information s'achète, ou coûte généralement quelque chose, alors que la communication se donne. Chaque matin dans ma boîte aux lettres je trouve un journal pour lequel j'ai payé, et que je consulte, mêlé à d'autres feuilles, généralement plus illustrées et colorées, que je n'ai demandées à personne et qui vont droit au panier. De même, chaque journaliste se voit proposer, à l'occasion d'« événements » divers, de volumineux dossiers de presse ou, mieux, de minces communiqués rédigés d'avance et qu'on lui suggère de passer sans autre modification. Il est tentant pour lui de céder aux campagnes de communication et d'atrophier ainsi la fonction journalistique d'aller soi-même sur le terrain et d'enquêter ;
— on appelle information un énoncé ou un message d'intérêt supposé général, et qui émane de l'ordre anonyme du monde, alors que la communication provient d'entreprises ou de groupes identifiables et sert à l'évidence des intérêts particuliers. Cette distinction recouvre assez bien la valeur d'ouverture informationnelle, telle qu'elle s'oppose aux refermetures communautaires.

Indépassable chauvinisme de l'information ?

Comment notre information et les médias qui la véhiculent seraient-ils désintéressés ? Nous leur demandons avant tout de nous ancrer ici et maintenant dans un territoire, de nous fixer un agenda, en bref de nous orienter dans un espace et un temps que nous puissions dire vraiment *nôtres*. À chacun ses événements, ses grilles d'interprétation et son « mode propre » ; et c'est pourquoi la première qualité d'une information, disions-nous, est d'être *pertinente*. Plus délicate ou complexe à manier que la valeur de vérité, cette pragmatique de la pertinence donne un tour d'écrou à l'information, en ajustant celle-ci à des paramètres spatio-temporels, psychologiques et sociaux. Or la mondialisation bien réelle des flux d'information à travers quatre grandes agences — *AP* (États-Unis), *Reuters* (Royaume-Uni), *AFP* (France) et *Xinhua* (Chine) — ou quelques chaînes hertziennes comme CNN se heurte nécessairement à ce mur de la pertinence. Il se pourrait, autrement dit, que l'information demeure une valeur bizarrement locale ou sujette aux *milieux*.

Cette balkanisation latente de nos informations s'amplifie avec la guerre, qui porte la clôture informationnelle à son comble comme on l'a vu en 1999 autour des Balkans : combien de Serbes se seront sentis concernés par les souffrances des Kosovars ? Et combien d'Occidentaux par celles, pourtant réelles, des Serbes sous les bombes de l'OTAN ? De même, lors de la guerre du Golfe, les publics arabes ont conspué certaines images ou commentaires de CNN, et c'est cela être un public (au rebours d'une audience passive, comme l'a fortement souligné Daniel Dayan) : accepter ou refuser vigoureusement certains types de programmes — lesquels, contrairement à l'étymologie, ne sont donc pas écrits d'avance ni toujours faciles à imprimer dans la conscience des gens. La culture, qui fonctionne ici comme clôture, se définit moins en termes de connaissances positives que par ce qu'elle donne le droit d'ignorer. Le monde de l'information est pour chacun celui du *sens*, dont l'obscure alchimie s'élabore aux points de contact du monde propre et du monde extérieur.

Le journalisme au pluriel

Trois contraintes principales menacent l'information : l'argent, l'urgent, les gens. Aucune entreprise de presse ne peut les ignorer, et chacune doit nécessairement faire avec elles. Le difficile métier d'informer louvoie entre les écueils et ne peut vivre que de compromis.

Les nécessités de l'enquête exigent du journaliste non seulement qu'il résiste aux pressions ou à diverses vénalités, mais encore qu'il retarde le moment de militer lui-même, de s'engager pour la bonne cause ou pour accoucher l'histoire, et qu'il combatte ses propres intimes convictions autant que celles de sa rédaction ou de son réseau de relations. Aucun individu sans doute n'est à la hauteur de la tâche, et c'est donc au niveau collectif de la pluralité des organes de presse et de leur souhaitable cacophonie que s'entretiennent l'esprit critique et la relance de la curiosité publique. Le grand jeu de l'information suppose un nombre élevé de partenaires, et qui soient des protagonistes ; comme dans le tournoi entre laboratoires scientifiques, la recherche de la vérité suppose la dispute et s'endort dans le consensus ou dans le monopole des sources d'investigation. Comme l'a dit fortement Kant dans son opuscule *Qu'est-ce que les Lumières ?* il n'est pas de plus sûr critère pour évaluer la vigueur d'une démocratie que celui de sa presse, et son pluralisme.

4. L'information contre la communication

Nous venons de décrire l'*antagonisme complémentaire* entre les deux composantes analysées dans ce chapitre du point de vue de l'information, identifiée à cette ouverture où nous avons appris à voir la valeur par excellence, après quelques siècles de progrès scientifiques et techniques. La communication représente dans ce cas la glu relationnelle, ce qui nous maintient dans le consensus ou nous assigne à la ronde du *statu quo*. Elle constitue, disions-nous, cette base d'où l'information émerge, mais où elle peut fort bien demeurer captive.

Ce schéma se renverse pourtant si nous considérons quelques domaines, comme celui de la communication politique ou celui du lien social en général. L'art du bon gouvernement suppose sans doute beaucoup de connaissances ou d'informations empiriques, mais il exige une condition plus profonde, d'ordre relationnel. Nous dirons que la politique n'est pas une science ni une technique, mais d'abord une *pragmatique* au sens fort défini pour ce mot (chapitre I) : un art d'interagir entre sujets formant un ensemble opaque ou complexe, et de saisir les occasions (le *kairon* des Grecs). La raison politique ne saurait être transcendante (inaccessible à la négociation), ni programmatique (formulant d'avance la séquence des opérations efficaces) ; elle ne peut rêver, contrairement à la prophétie saint-simonienne, de « remplacer un jour le gouvernement des hommes par l'administration des choses ». Cette vision technocratique oublie que le matériau pétri par l'homme politique n'a rien d'inerte : ses objets sont des sujets, dotés d'aspirations, d'esprits critiques et de projets discordants ; la seule façon de les entraîner dans une direction un tant soit peu commune est d'abord de leur inspirer confiance, et pour cela de partager avec eux le même monde.

Une certaine proximité, où entrent des relations de confiance, de croyance voire d'identification, semble ainsi l'ingrédient principal de cette obscure alchimie ; la mobilisation des esprits et des volontés passe par celle des cœurs, jamais elle ne se réduira à la froide raison du calcul économique ou stratégique. Gouverner c'est faire croire et vouloir, donc aussi désirer et rêver.

« Avoir raison » en politique

La raison dans ce domaine ne se confondra donc jamais avec les relations simplement descendantes du schéma scolaire et de la diffusion des connaissances. Les masses exigent de la *reconnaissance* (valeur assez différente), et qu'on ait de la considération pour leurs mondes propres. Or notre société est d'une disparité, d'une opacité proprement impensables : quelle commune mesure entre le monde propre d'un ministre et celui d'un chômeur en fin de droits ? Si le premier s'avance vers le second bourré de chiffres, de constats conjoncturels ou d'appels à la raison, quelle chance a-t-il de se faire simplement entendre ? Chacun invoque le réel mais celui-ci est impartageable : la réalité économique, politique et sociale n'a pas la trompeuse stabilité des chiffres et des organigrammes, elle est transie d'opinions, de volontés ou de représentations qui la construisent et la défont en permanence ; comme écrit profondément Jean-François Lyotard, « le réel est à la charge du plaignant ».

Le terme même d'*opinion*, après deux siècles de passions démocratiques, dit bien au fond quel est le matériau, mais aussi la limite infranchissable de l'action gouvernementale en régime parlementaire : le meilleur des gouvernements ne peut dans ce régime agir longtemps contre l'opinion dominante qui s'incarne dans le suffrage universel (et accessoirement dans l'expression des médias). Or que mesure ce suffrage ? Nullement la vision géniale d'un expert diagnostiquant l'état ou la réalité objective d'une situation, mais les représentations, éventuellement délirantes, que les électeurs s'en font, l'expression de leurs désirs, de leurs déceptions ou de leurs rêves. La majorité issue, fût-ce à une voix près, de cette compilation de voix et de vues essentiellement confuses et discordantes, représente précisément la *chose même*, et incarne pour un temps la raison dominante et indépassable du jeu politique. La règle fondamentale de la démocratie, qui déplaît tant aux technocrates et aux experts, tient ainsi dans ce paradoxe (analysé à travers d'autres exemples au chapitre IV) du primat de l'énonciation et de sa vérité incontournable : la voix issue des élections est automatiquement vraie, et comme telle irréfutable. Même si les électeurs « se trompent », ils disent ou montrent par leur vote — autant que par leur abstention — où ils en sont, et cette expression, quand il s'agit d'organisation et d'action collectives, se confond avec la plus haute des raisons.

Au présent de la relation

Gouverner apparaît ainsi, comme la guerre selon Clausewitz, un art tout d'exécution ; et qui doit s'exercer en direct, au présent de la relation. Quand les chômeurs manifestent dans la rue, ou que l'histoire presse, la décision ne se reporte pas. Contrairement à l'écrivain génial dont l'énoncé par définition se diffère, et qui peut dire comme Stendhal qu'on le lira au siècle suivant, l'homme politique a très peu de marge d'appel ; il ne peut ni remettre sa popularité à plus tard, ni — selon l'ironique conseil de Brecht — « changer de peuple ».

La vérité démocratique ou l'art de gouverner ne sont pas des branches ni des sous-produits d'une quelconque science, fût-elle économique. La rationalité des affaires humaines (*ta pragmata* chez Aristote) est intrinsèquement *limitée*, et il semble vain de rêver dans ce domaine d'un pilotage synoptique ou d'une information surplombante. Chacun traite les informations sociales et politiques selon les conditions de son *monde propre*, et la pluralité de ces mondes ne se laisse pas réduire à un monde commun ou d'avance partagé : ce sont des intérêts qui s'affrontent, et chaque vision du monde ne reflète jamais que la volonté ou les intérêts de chacun.

Sans doute un gouvernement doit-il inlassablement expliquer ses choix, mais cette condition nécessaire n'est pas suffisante, et la persuasion politique ne se confond pas avec la diffusion des connaissances. L'art du pilotage ne se ramène pas à un problème d'information : non seulement le gouvernant ne peut, de là où il parle et décide, tout savoir, mais quand bien même cette opacité constitutive du social se trouverait levée par une information idéale (inatteignable dans ce domaine), il ne pourrait au nom de celle-ci prétendre avoir raison tout seul.

Dans quelques domaines de la culture, une information autonome se laisse extraire, traiter par des individus isolés (éventuellement héroïques) et diffuser de haut en bas. L'information politique et sociale n'a pas cette complaisance. Fortement attachée à des mondes propres et à des visions du monde (à des valeurs) irréductiblement conflictuelles, elle ne se totalise dans aucune parole singulière, ne se hiérarchise dans aucun grand dessein ni récit. Pour arriver dans ces domaines au moindre accord, il ne faut pas se contenter d'expliquer, mais toujours remettre la raison sur le métier de la négociation. Car en démocratie la raison politique *est* communication ; ou, pour paraphraser Isidore Ducasse, comte de Lautréamont, la politique « doit être faite par tous, non par un ».

5. Deux pôles de nos études et de notre raison

Au terme de ces analyses, il est clair que l'information journalistique, scientifique et technique se place, dans l'espace couvert par nos études, aux antipodes de la communication politique. Faisant un pas de plus, nous proposons de voir dans ce couple information/communication les deux pôles de notre raison.

Leur dualité renvoie aux deux aspects de contenu et de relation, bien distingués par la pragmatique, ainsi qu'à l'exposition très sélective qui est la nôtre face au monde extérieur et à ses forces de changement : il faut qu'une société, comme le moindre organisme vivant, soit à la fois ouverte ET fermée. Les forces de liaison et de cohésion organiques, psychologiques ou sociales n'ont pas pour fin dernière une connaissance objective de la réalité ; les innombrables ruses qui permettent de vivre ensemble ne sont pas fondées sur la science. Il est deux domaines en particulier où l'impératif de la relation prime celui d'une connaissance droite : dans l'amour comme dans la religion, les hommes s'agrègent et tiennent ensemble à coups d'illusions ou de mythes instituants. Le charme communautaire ou l'imaginaire du lien n'ont rien à voir avec une argumentation rationnelle, et s'en passent fort bien.

Nous avons suggéré au terme de ce chapitre que l'action et la communication politiques relevaient pour partie du même charme. Il semble donc vain de manœuvrer sur ce terrain, qui est aussi celui du lien affectif et identitaire, avec une raison éprouvée dans l'« administration des choses ». La critique kantienne reste célèbre en philosophie pour avoir partagé le savoir et la foi, en restituant à chacun son domaine. Il semble qu'une critique similaire pourrait s'exercer à partir du couple de l'information et de la communication, qui ont chacune son efficacité et qui, avec leurs jeux et leurs hiérarchies tournantes, se partagent nos vies.

VII / L'espace public et les médias

Le concept d'espace public a été forgé par Habermas pour rendre compte de l'émergence, au cours du XVIIIe siècle en France et en Angleterre, d'une sphère intermédiaire entre la vie privée et l'État monarchique fondé sur le secret. Dans cet « espace », les hommes éduqués lisent les journaux, échangent des livres et des arguments dans les salons littéraires et dans les cafés ; de cet usage ouvert de la raison, fondée sur la *publicité* (*Öffentlichkeit*) des débats, surgit un modèle de bon gouvernement et de la loi, opposable à l'arbitraire des rois.

Avant d'examiner comment ce modèle a pu évoluer et survivre avec le développement de la grande presse, des communications audiovisuelles de masse et aujourd'hui d'Internet, voyons comment l'aménagement d'un certain « espace », pas seulement matériel, conditionne la stabilisation de l'État-nation.

1. Les outils de l'État-nation

Le sentiment national ne tombe pas du ciel et résulte partout d'une laborieuse genèse. Comment faire coïncider un territoire, une culture et une identité politique ? En normalisant d'abord une certaine portion d'espace, comme on tend la nappe avant de disposer le couvert. Là où s'est développé l'espace public habermassien, il a été précédé par l'aménagement très matériel du territoire, innervé par des routes, des canaux navigables, des réseaux de distribution des marchandises mais aussi des informations et des outils symboliques de la culture tels qu'une langue, nationale ou du moins dominante, une monnaie, un système de poids et mesures… Qu'est-ce qu'une nation ? Une portion horizontale de la croûte terrestre délimitée par de précises frontières, entre lesquelles ses habitants tissent d'incessantes communications ; à la verticale, l'accumulation et la transmission d'un capital symbolique ou d'une culture, une histoire partagée et une profondeur de temps pourvoyeuses d'identité. Toute nation s'équilibre ainsi à l'intersection de sa géographie et de son histoire, qui correspondent pour nos SIC aux deux axes des voies de communication (spatiale) et des outils symboliques de la transmission (temporelle).

En amont de l'espace public, toute une activité de centralisation, d'intégration, d'unification a donc d'abord façonné un espace plus large, national ou territorial. Cet espace d'identification mutuelle repose sur le partage de codes et la mise en commun d'outils symboliques, au premier rang desquels figure la langue ; ceux-ci se transmettent au sein de chaque famille et se déploient dans les échanges quotidiens du travail et des loisirs ; mais entre ces deux mondes, c'est l'école qui a reçu depuis au moins Jules Ferry le monopole de former le citoyen.

L'école et l'idée républicaine, intégratrice, hiérarchisante sur le modèle de la pyramide, ont dans notre culture française partie liée. Et c'est pourquoi les mises en cause de notre modèle scolaire, au nom du morcellement démocratique (affaire du « foulard islamique ») ou venues des nouvelles technologies (introduction de l'audiovisuel, puis de l'informatique et aujourd'hui d'Internet dans les classes), soulèvent tant de passions et sont périodiquement accusées de corrompre le bon fonctionnement de l'espace public, voire le « génie français ».

2. L'espace public limité à la circulation des écrits ?

On peut avec Régis Debray baptiser graphosphère une époque qui fut décisive pour notre culture, puisqu'elle permit avec le développement de l'imprimerie un accès personnalisé au savoir. Cet « ordre des livres » (Roger Chartier) a façonné un homme typographique, ou gutenbergien, et il a tellement pénétré notre idée du savoir, du devoir, de l'imaginaire ou de la mémoire que beaucoup, à l'heure où cette époque s'éloigne, concurrencée par la vidéosphère, refusent de séparer la culture de la graphosphère et ne voient hors de celle-ci que retour à la barbarie.

Qu'est-ce qu'un livre ?

Le texte imprimé noir sur blanc, avec ses lignes de caractères alphabétiques nettement justifiées, constitue peut-être le procédé le plus sensoriellement pauvre, le plus sévère que les hommes ont imaginé pour représenter le monde ou leur histoire. En ne retenant de la chaîne orale que sa mise en forme alphabétique, le livre élague la riche polyphonie de l'orateur, le théâtre de son corps et la chaleur relationnelle qui l'entoure ; il isole le récepteur du message, et du même coup intériorise sa conscience en concentrant celle-ci sur le seul contenu de l'ouvrage et sur sa logique, au détriment de toute séduction extérieure. Ainsi comprimé, le livre favorise l'esprit critique (l'examen solitaire des contenus de connaissance), il fortifie l'individualisme (l'acquisition d'un savoir personnel), et il développe ensemble la capacité d'analyse (le déchiffrement de la lecture) et les synthèses de l'imagination (la recomposition d'un monde à partir de ces symboles noirs et blancs). *Less is more* : la maxime de Negroponte qui s'applique au monde de l'information en général, cette *grandeur négative* (chapitre VI), permet d'identifier dans la soustraction sensorielle et la sévérité typographique du livre l'outil par excellence de la libération spirituelle et morale. Est-ce un un hasard au demeurant si le latin *liber* désigne à la fois l'écorce de l'arbre utilisable comme surface d'inscription et la qualité d'homme libre ?

Abstraction, linéarité, froideur, distance, analyse : l'impitoyable élagage que l'ordre typographique inflige à la riche sphère de l'oralité précédente a pu faire préférer celle-ci à celui-là, et José Bergamin a écrit sur ce thème un livre provocateur, *Le Déclin de l'analphabétisme*, pour célébrer les trésors de relations, d'inventions et de sensations irrémédiablement perdus quand on accède à la culture de l'imprimé (qui est aussi celle de l'État-nation). Mais aujourd'hui, cette déploration s'exercerait plutôt dans l'autre sens : que la graphosphère était belle quand le savoir passait encore massivement par l'écrit et l'école, avant la concurrence des écrans, des médias, des réseaux ou des suspectes machines à communiquer !

L'explosion communicationnelle

Les « nouvelles technologies » de transmission qui prennent le relais du livre, et que nous ferons commencer par convention avec l'apparition de la photographie (1839), suivie du cinéma (1895) et de la radio (1917), enrichissent fortement le *rendu* des messages. Avec l'image, l'œil s'évade de la chaîne du lisible pour balayer à sa guise l'espace du visible — nous dirons que l'image délinéarise la vision captive du lecteur ; avec la radio, c'est la voix, c'est-à-dire une empreinte indicielle et nettement individualisée du corps propre de l'émetteur, qui pilote le message. Cette sémiotique de l'indice, rebelle à l'abstraction (chapitre IV), concerne également les empreintes visuelles, sonores ou, plus tard, vidéo ; elle enrichit nos représentations d'une dimension de présence, de direct, et d'une façon générale elle rapproche la carte (mentale) du territoire en atténuant la coupure sémiotique*. Mais ce qu'on gagne ainsi en sensorialité et en vivacité des messages serait-il perdu pour la réflexion et l'information véritables ?

Considérons le couple déjà rencontré (chapitre IV) du direct et du différé. Toutes les représentations de la graphosphère se déroulent par définition en différé. Que la circulation de l'imprimé semble lente, comparée à la vitesse électronique du téléphone, du direct télévisuel ou de l'*e-mail* ! Le direct crée de la sensation, de l'excitation, éventuellement de la participation et de l'interactivité, mais il ne favorise pas le temps de la réflexion. Le différé inversement, aux représentations plus majestueuses et sages, et notamment la sévérité ascétique de la typographie, en immobilisant durablement leurs messages, permettent leur examen approfondi, voire, dans le cas de l'œuvre artistique, un « entretien infini » (selon le titre de Maurice Blanchot).

On a coutume de remarquer, devant ce partage, que des messages sensoriellement trop riches, ou dont le rythme épouse le flot audiovisuel, émoussent nos facultés critiques, alors que celles-ci se rassemblent et s'épanouissent davantage quand nous avons le loisir d'isoler le message et de revenir sur lui. Soit l'exemple du journal, télévisé ou imprimé : devant une émission de trente minutes où défilent une douzaine de rubriques, les téléspectateurs interrogés n'en retiennent que deux ou trois, alors que les informations imprimées, que chacun consulte à son propre rythme et selon sa curiosité, passent aujourd'hui encore pour une façon bien supérieure de se tenir informé. Faut-il en conclure péremptoirement que la télévision « ne pense pas » et lui refuser toute autorité symbolique ?

On ne compte plus les critiques de la télévision ; mais à force de ressasser les mêmes arguments, ses détracteurs risquent de tomber dans une vulgarité encore plus grande que celle qu'ils dénoncent. Ils considèrent rarement l'écriture télévisuelle pour elle-même, préférant la rapporter aux performances de la graphosphère, face auxquelles le petit écran paraît en effet minuscule. Avec la multiplication des chaînes et l'usage de la télécommande, il est évident que le récit télévisuel n'obéit pas à la syntaxe de l'écrit, et encore moins aux règles d'une argumentation rationnelle. Le *montré* s'y combine aléatoirement avec le *dire*, les meilleures phrases y sont les plus courtes, et les contraintes de l'Audimat obligent à préférer la sensation au raisonnement, la relation au contenu, les paillettes du spectacle et l'effusion émotionnelle à un exposé un peu fouillé des raisons. Une certaine télévision tend au clip (bien étudié dans l'ouvrage de Jost et Leblanc, 1994), succession de chocs visuels et sonores, montage moqueur de signes et de scènes évanouis sitôt que reconnus, et comble du zapping. Avec le clip, la sensation est au premier plan, et aucune information n'a le temps de « prendre ». Mais il y a d'autres façons de remplir et de regarder les programmes, et l'on sait qu'à côté de cette pulvérisation du temps et de ce brassage d'étincelles il arrive au petit écran de rythmer l'Histoire et de créer l'événement (Katz et Dayan, 1996). Ce « magnifique instrument de soutien de l'esprit public », comme disait le général de Gaulle, qui en usa et en abusa, n'incarne certes plus la « voix de la France » ; la télévision parle aujourd'hui par trop de bouches et de chaînes, mais faut-il pour autant refuser à cette mosaïque toute pertinence et toute aptitude au débat ? La télévision ne peut que déplaire aux intellectuels et aux censeurs retranchés dans la graphosphère ; elle horrifie les vieux républicains accrochés au modèle pyramidal de l'école jules-ferryenne (qui n'existe plus), désolés de voir l'idéal des Lumières volatilisé dans les spots. Il est exact que la lumière ne converge plus, et qu'il y a aujourd'hui plus d'un soleil et d'une raison pour chacun — une dispersion incalculable des sources d'émission et des modes de réception.

Crise de la représentation

La réflexion d'Habermas a encouragé une identification (nostalgique) entre l'espace de circulation des écrits et le cercle de la raison. En prenant pour repère un espace public quelque peu idéalisé, le thème d'une crise de la représentation a pu prospérer au vu des dérives et des débordements des nouvelles machines à communiquer : il est vrai que les médias de masse court-circuitent l'argumentation rationnelle en ciblant en chacun l'homme sentimental et fusionnel ; que l'impatience et les stimuli excitants du direct annulent les patiences du différé ; que l'énergie du signe indiciel, l'émotion et la chaleur sensible qui rayonnent de la vidéosphère occultent l'abstraction des symboles logico-langagiers. Dans un domaine voisin, la multiplication des sondages fait concurrence à l'expression du suffrage universel, tandis que l'offre renouvelée des scènes audiovisuelles éclipse la scène de la représentation parlementaire… En bref, la montée en puissance de la vidéosphère ronge les représentations séculaires en leur substituant d'autres lieux ou non-lieux (l'écran de télévision n'est pas un « espace »), d'autres rythmes, d'autres champions de l'autorité et de la compétence ; la crise de la représentation affecte simultanément la scène sémiotique, médiatique, institutionnelle.

L'analyse numérique qui équipe les nouvelles technologies, partout où elle pénètre, tend à désagréger les formes anciennes pour les recombiner dans un espace plus ouvert, sans mémoire ni frontières évidentes ; la sarabande des bits et des pixels, la décomposition des traitements de textes, d'images et de sons, la pulvérisation des récits et des imaginaires précédents en modules et en clips défient ironiquement les formes acquises de l'apprentissage et de la culture ; mais cette dislocation, cette délocalisation et cette mobilisation générale semblent en phase avec le détachement de l'individualisme libéral, avec la philosophie postmoderne et la fluidité exigée par le marché désormais « global ».

L'espace public théorisé par Habermas a-t-il jamais existé ? Sa forme canonique est aujourd'hui rongée de plusieurs façons :

— par la privatisation des personnages publics, et ce que Richard Sennett a nommé les *tyrannies de l'intimité* (1979) : partout où ils pénètrent, les médias de masse et les nouvelles technologies bousculent les frontières du proche et du lointain, de l'intime, du privé et du public. Fallait-il exhiber la vie sexuelle du président Clinton et suspendre aux confidences enregistrées à son insu de Monica Lewinsky la géopolitique de l'Amérique affrontant l'Irak, ou le cours du dollar ? Mais cette publication de l'intime, qui envahit également les *reality shows* ou les émissions de Mireille Dumas, permet de dire et de traiter de problèmes de société, et ne signifie pas automatiquement la « fin du politique » ;

— par le marché et la pub. L'espace public côtoie l'espace marchand, et la circulation de l'information accompagne partout celle de la marchandise. Comment soustraire le premier aux influences intéressées du second ? Depuis (au moins) *La*

Gazette de France, de Théophraste Renaudot (1631), nos grands médias ont partie liée avec la publicité (au sens contemporain, différent de l'*Öffentlichkeit*) et le *lobbying*. Car la presse est d'abord une entreprise, pourvoyeuse d'influence économique et politique, et ce n'est pas par philanthropie ni amour du débat que les groupes industriels se battent à coups de millions pour acquérir tel journal imprimé, chaîne de radiotélévision ou groupe d'édition. Cette tutelle économique nous épargne sans doute la main plus lourde encore du contrôle politique ; le problème est de faire aujourd'hui que l'intérêt du marché, qui a favorisé l'éclosion de la presse, donc de l'espace public, n'étouffe pas celle-ci sous les presions mercantiles et le trafic des « affaires » (Serge Halimi, 1997) ;

— par l'instrumentation et les nouveaux outils. On tente de plusieurs façons de « faire l'opinion » (Patrick Champagne, 1990), en la faisant parler par une frénésie de sondages et par un ciblage de la communication politique emprunté aux techniques du marketing commercial. Par ailleurs, la substitution des écrans de télévision aux écrits aggrave l'asymétrie de l'échange ; l'émetteur et le récepteur de la graphosphère disposent d'un moyen relativement accessible, l'imprimé, pour se parler et s'écouter mutuellement ; avec la télévision, chaque individu, même illettré, peut recevoir les messages mais il n'a aucune chance d'en émettre à la même échelle, l'outillage est devenu trop coûteux. D'où la crainte, souvent exprimée face aux NTIC, qu'elles dualisent les usages en réservant aux uns des performances très rentables, et aux autres, nouveaux analphabètes, l'exclusion pure et simple ;

— par la fragmentation des publics. Le ciblage des chaînes, s'il devait conduire à la disparition du service public et de sa mission généraliste (défendue par exemple par Dominique Wolton, 1990), contribuerait à l'étiolement du débat ou à sa segmentation communautaire. Chacun regarderait « sa » télévision ou recevrait son propre journal (le *Daily me*) pour mieux ignorer le monde des autres. Et c'est ainsi que les nouvelles technologies, en phase avec la mosaïque ou le *salad bowl* démocratique (chapitre VIII), serviraient à chacun à perfectionner sa clôture culturelle. La notion d'espace public indique certes qu'il faut à l'exercice de la raison des frontières : la raison scolaire (derrière les murs du lycée), le laboratoire, l'entreprise, la justice… s'isolent pour bien fonctionner. Cette clôture nécessaire est menacée aujourd'hui autant par l'éparpillement démocratique des cultures, qui revendiquent d'être à elles-mêmes leur propre monde, que par l'ouverture mondiale.

Le terme d'espace public nourrit le mirage d'un lieu de rencontre unitaire, de plus en plus introuvable sur l'agenda des nouvelles démocraties (qui disloquent l'édifice républicain). L'espace public, s'il existe, est désormais beaucoup plus large mais du même coup fragmenté (Bernard Miège, 1989), et il fuit par les deux bouts du micro (les « petites patries » communautaires) et du macro (le grand marché mondial).

Les médias modernes ne recouvrent plus ni le territoire national, ni le cercle de la raison. La nation peine à se faire représenter, et l'État a relâché sa tutelle sur la culture comme sur l'information. L'idéal démocratique valorise l'expression de l'homme ordinaire, et les manifestations de l'opinion peuvent supplanter la recherche de la vérité. Le « politiquement correct » nord-américain pousse cette logique démocratique à l'extrême : cette « correction » formule au fond l'exigence de respecter absolument l'agenda (le monde propre, le temps, l'espace et les préférences) de l'autre. On comprend qu'il répugne à notre vieux républicanisme. Mais de ce pluriel *irréversible*, faut-il conclure à la défaite de la raison et à l'inanité du débat ? Nous inclinons à penser, au rebours des contempteurs des nouvelles technologies, que partout où la communication « explose » elle ne supprime pas la raison ni la grammaire du débat, mais qu'elle les complique.

3. Vers la cyberdémocratie ?

Depuis 1993 et l'annonce fracassante par le vice-président Al Gore des « autoroutes de l'information », une foisonnante littérature s'efforce de cerner les promesses ou les dangers de ce réseau, ou de cette toile, partie des États-Unis pour enlacer la planète. D'abord destiné aux échanges scientifiques entre chercheurs universitaires, le World Wide Web est aujourd'hui, comme tout espace d'information, l'objet de convoitises économiques, politiques ou idéologiques d'autant plus fortes qu'il demeure largement ouvert. Il n'existe aucun pouvoir quelque peu influent qui ne s'efforce d'y prendre pied et d'y repousser les tentatives symétriques de ses rivaux. On n'acceptera donc pas sans réserves le discours utopique qui, plus qu'aucun autre, accompagne cette nouvelle technologie.

Les thèmes démocratiques trouvent pourtant une évidente mise en œuvre sur ce Web qui n'a ni tête, ni centre, ni tour de contrôle et se trouve ainsi, depuis sa naissance, voué à l'auto-organisation. Il est évident, par ailleurs, que le réseau (horizontal) joue contre les pyramides institutionnelles, et qu'il procure à ses usagers quantité de contacts et de circuits d'échanges en marge de celles-ci. Le Web est le lieu et l'outil par excellence d'une raison pragmatique, définie comme celle qui modalise la recherche de la vérité par celle de la *pertinence* (chapitre I), et il ouvre à ses pratiquants de nouveaux et d'excitants plans d'existence. Apporte-t-il à notre culture une révolution équivalente à celle de l'imprimerie ? Pierre Lévy semble le penser, qui dresse l'inventaire enthousiaste de ses bienfaits dans un livre très clair (1997) ; Derrick de Kerckhove, de son côté, caractérise la révolution de *l'intelligence des réseaux* (2000) par deux traits majeurs, l'interactivité (tout bouge, et tout récepteur se trouve en position symétrique d'émetteur) et l'hypertextualité * (les parcours de lecture sont infinis dans leurs liaisons et leurs renvois, il n'y a pas de clôture sémantique des messages, ni d'autorité suffisante pour assurer celle-ci).

Ces caractéristiques font-elles du Web l'alternative décisive aux grands médias de masse ? Dans un monde désormais ancien, ceux-ci émettaient de point à masse, en imposant les mêmes messages à tous. Sur le réseau, la communication court de point à point, et peu de récepteurs subissent passivement les messages, la toile favorise le dialogue et l'expression des différences. Cette multiplication des points de vue accomplit-elle l'idéal critique des Lumières et d'un espace public élargi aux dimensions du monde ? Le Web s'étend partout où vont les lignes de téléphone reliées à un ordinateur. On dira que c'est peu, si l'on considère qu'un homme sur deux, dans le monde d'aujourd'hui, ne passera de sa vie pas un seul coup de fil ; ou que l'île de Manhattan à elle seule héberge plus de lignes téléphoniques que toute l'Afrique subsaharienne. Mais on pourra trouver cela énorme, si l'on se rappelle que l'espace public au XVIIIe siècle était encore plus « censitaire », et que cela ne l'a pas empêché de constituer l'un des ferments de la Révolution française.

VIII / Comment peut-on être mondial ?

Longtemps les hommes ne connurent de la Terre que la minuscule parcelle qu'ils s'acharnaient à piocher. Bouseux, glébeux ou âmes de mainmorte, ils vivaient englués dans le commerce primaire du terrassement et de l'extraction des récoltes, encerclés par les épluchures et les crottes, assignés à résidence au service du seigneur. Avec des gestes bornés et végétatifs, ils survivaient barricadés d'enclos, écrasés par les puissances du Ciel (la météorologie, les dieux), tyrannisés de dessous la terre par le souvenir des morts. Pendant des siècles, le paysan ne voyait pas plus loin que son clocher ou que le donjon de son maître.

Puis la vie s'est *allongée*. Les transcendances verticales se sont inclinées sur l'horizon ; par arasement des clôtures, allégement des cultures, par des routes trouant les enclos et les haies, les limites du monde ont reculé. L'urbanisation a multiplié les espaces de franchise ; la mobilisation, militaire, industrielle, a certes versé des millions de corps dans l'enfer des usines, des mines ou des champs de bataille, mais elle a aussi rassemblé les masses, permis l'union d'où sont nées de nouvelles forces, d'autres identités. Le paysan s'est réveillé prolétaire et citadin, ses enfants ont fini par ouvrir une boutique et fréquenter l'école, le cercle de l'espace s'est disloqué et diversifié, la durée historique a échappé à la roue cyclique des saisons avec ses famines, ses rapines, pour laisser briller un futur, un avenir meilleur au-delà des générations.

L'histoire de notre civilisation (et le mot lui-même résume ce mouvement) se confond ainsi avec celle d'un détachement progressif du terroir millénaire, avec une dématérialisation lente des supports et des produits du travail humain, avec la promotion et la circulation accélérées des signes (au premier rang desquels la monnaie), avec une désacralisation et une mobilité croissantes, en un mot avec l'urbanisation. La fin du monde rural est sans doute l'un des plus grands événements de ce siècle ; *culture* ne veut plus dire agriculture.

La vie, ses cycles, ses circuits n'ont cessé de s'étendre. Au terme de ce lent mouvement d'arrachement à la terre première et aux servitudes primaires de l'oralité (d'abord se nourrir), après cinq siècles de grandes découvertes, de commerces en tout genre et de circumnavigations, le cosmonaute en orbite dans sa capsule bourrée d'électronique peut lui aussi crier *Terre !* mais la boucle est bouclée. Et comme le remarque Michel Serres, la fragilité a changé de camp. Cette terre pesante qui dictait aux hommes sa loi millénaire se montre en apesanteur dans l'espace subitement infini, et désormais dépend de nous. Les espèces se découvrent solidaires, les espaces interdépendants et les peuples enchevêtrés. Le regard du cosmonaute qui observe pour la première fois notre planète vérifie, selon la formule de Pascal, que dans ce fragile vaisseau spatial en effet « nous sommes embarqués ». Une citoyenneté ou une identité nouvelle, *planétaire*, commence de hanter les attaches locales et les vieux chauvinismes. Une communication devenue mondiale brise l'isolement des îles et ronge les anciens parapets. Cette conscience nouvelle, qu'on associe désormais au terme vague de mondialisation, peut prendre au moins deux directions : le souci écologique d'une solidarité planétaire ; un appétit renouvelé devant l'ouverture des échanges et les alléchantes promesses du *world market*. Le chevalier servant de Gaïa et « M. Sylvestre », des Guignols de l'info, incarnent deux façons d'être mondial qu'on ne saurait confondre.

1. L'universel de la raison et la philosophie des Lumières

Quelles que soient les promesses des NTIC, l'avènement d'une conscience mondiale, ou planétaire, demeure infiniment problématique. La première et la plus tenace évidence nous montre des hommes locaux et territoriaux, définis par un corps, une culture ou une langue *donnés*. Chaque visage d'homme reflète un paysage, et il n'y a pas de paysage ni de visage universels. Comment s'extraire de ce don originel nécessairement limité, et limitant, pour accéder à l'artefact construit et contre nature d'une conscience plus globale ? Comment surmonter Babel ?

La réponse, clairement développée et théorisée dans la philosophie grecque, consiste à poser au-delà des discours de la vie courante, solidaires de leur énonciation, l'existence d'une catégorie d'énoncés qu'on dira logico-scientifiques, ou rationnels, et qui ont la propriété d'être automatiquement vrais, indépendamment de tout contexte. Ce *logos* (à la fois langage, raison et calcul) a pour modèle les *Éléments* d'Euclide, qui inspirent la dialectique de Platon (dont l'Académie s'ornait de la formule « Que nul n'entre ici s'il n'est géomètre »), puis la logique et les syllogismes codifiés par Aristote. L'ambitieuse notion de *logos* désignait ainsi le langage par excellence, dépositaire et vecteur d'une communication virtuellement universelle, et signe distinctif du génie par lequel les Grecs s'opposaient aux Barbares (les peuples extérieurs auxquels ils déniaient tout langage cohérent : *barbare* désigne par étymologie les borborygmes de ceux qui ne parlent pas).

Ce message rationaliste oubliait-il son propre média, la langue grecque, avec ses particularités empiriques ? Si l'énoncé des mathématiques se laisse en effet détacher de son énonciation et fonctionne hors contexte, en va-t-il de même pour la métaphysique de Platon ou d'Aristote, tributaire du langage ordinaire et de ses catégories ? Cette métaphysique n'est-elle pas le produit d'une langue dotée de substantifs et d'une certaine conjugaison du verbe *être* ? Peut-elle s'exporter ou se dire dans d'autres systèmes linguistiques, comme le japonais ou le chinois ? Émile Benveniste a fortement souligné les attaches de la métaphysique avec les catégories de la langue grecque, qui limitent ses chances de traduction. Et Jack Goody de son côté a montré, en développant l'idée d'une raison graphique, à quel point les démonstrations de la géométrie, mais également du syllogisme, sont tributaires de supports d'écriture sans lesquels le projet même de la science grecque demeurerait privé de sens.

Quoi qu'il en soit de ces réserves, qui rattachent l'essor d'une raison universaliste à ses origines contingentes, la décomposition et la mise en forme analytiques du langage et du raisonnement naquirent dans le bassin oriental de la Méditerranée au carrefour de la géométrie (d'abord égyptienne), de l'alphabet des Phéniciens puis du « miracle grec » ; cette analyse apportait à l'humanité tout entière un outil d'une puissance en effet universelle, puisque cet essor du calcul aboutit aujourd'hui aux prouesses numériques de nos machines à communiquer. Il aura fallu entre-temps pour cela les développements de la physique galiléenne, suivis de la philosophie cartésienne et d'une *Méthode* décidée à analyser une difficulté « en autant de parties qu'il sera nécessaire pour la mieux résoudre ». Les longues chaînes de zéros et de un du langage informatique accomplissent, à trois siècles de distance, le programme tracé par le *Discours de la méthode*. D'un discours qui affirme dès sa première phrase « Le bon sens est la chose du monde la mieux partagée », comme si ce bon sens (c'est-à-dire la raison) avait pour critère la communication ; ou que, pour répandre ou communiquer au mieux un message, il faille lui donner une forme rationnelle. Cette raison logico-mathématique constituait clairement, pour les savants du XVIIe siècle, l'espéranto de nos communications *universelles*, et elle encourageait Pascal ou Leibniz à concevoir ou à produire les premiers automates logiques.

Le grand rationalisme classique s'arc-boute ainsi sur un optimisme de la communication : si les mœurs, les passions ou les religions nous divisent, du moins existe-t-il des pensées qui ne doivent rien à leur *ici et maintenant*, et qui peuvent être reprises par tous les hommes. Être logique, c'est penser au niveau de ces énoncés idéalement détachables ou *traduisibles* (chapitre IV), parce qu'ils sont autocentrés ou scellés sur leur propre forme, sans rien devoir au contexte de leur énonciation.

La philosophie des Lumières et ses points d'ombre

L'Occident n'est-il qu'un accident, celui d'avoir au tournant du XVe siècle développé certains outils (la redécouverte du rationalisme grec, l'essor de l'imprimerie...), ou, comme le voudra Hegel, est-il le siège prédestiné de l'universel dans l'histoire ? Il se trouve que cette raison-*logos* a un berceau territorial de fait, mais qu'elle est en droit appelée à déborder infiniment celui-ci. De même existe-t-il une sensibilité ou une culture qui échappent par définition à la communauté où elles prennent racine. Être *cultivé* selon le message universaliste des Lumières, c'est sortir de sa culture pour aller à la rencontre des autres. Le message principal de l'*Aufklärung* affirme qu'il est possible à l'humanité de surmonter son morcellement, car il existe une langue au-delà des langues autant qu'une culture au-delà des cultures. Au plan culturel et artistique *comme* à celui des sciences, des œuvres transcenderaient universellement leurs conditions de production, accessibles aux hommes de tous les pays et de tous les temps. La philosophie des Lumières s'efforçait ainsi de poser ou de postuler, comme Platon déjà, un métaniveau d'aspiration ou de réconciliation présent en chacun pour des rencontres « universelles ». L'alternative posée par ses partisans devenait donc : Lumières ou barbarie.

Cette philosophie incontestablement libératrice sécrétait néanmoins ses propres forces d'asservissement. Au sein des pays européens où cet idéal est né, il aura accéléré l'intégration de l'État-nation en laminant par la route et le rail, par la poste ou l'école publique les particularismes provinciaux et la microculture des « petites patries ». En s'exportant, il a accompagné et légitimé la colonisation et la destruction massive des cultures au nom de la culture dominante (la IIIe République, mais déjà les ingénieurs formés par l'idéologie saint-simonienne, prenant le relais de l'Église).

Communication, modernisation et rationalisation avancent ainsi de pair. En liquidant l'assise rurale de la société chez nous comme dans l'ensemble du monde (puisqu'en cette fin du XXe siècle la moitié de la population mondiale s'entasse déjà dans les villes), la modernisation qui a commencé en Europe avec ce qu'il est convenu d'appeler la « fin du Moyen Âge » arrache les individus à la glèbe pour les faire entrer dans le temps historique. Lequel est façonné, selon Max Weber, par trois grandes machines rationnelles ou formelles : l'économie de marché, la technoscience ou les activités soumises au calcul et à l'analyse, et l'État-nation bureaucratique. Il est clair que cette triple ouverture décrite et théorisée par Weber peut être vécue également comme une refermeture. Et que les thèmes du désenchantement et de la perte du sens accompagnent ceux de l'ouverture communicationnelle comme leur ombre portée. Le marché, la technoscience et l'État ont certainement permis l'épanouissement de l'individualisme contemporain, mais au prix d'une révision drastique des anciens régimes d'identité.

2. Morcellement romantique et démocratie multiculturelle

Ce n'est pas la raison mais deux guerres mondiales qui mirent à niveau les conduites et les conditions. Après 1945, l'insupportable enrôlement du monde dans l'ordre ou l'orbe de l'Occident entraîna le choc en retour de la décolonisation, menée au nom d'un multiculturalisme sauveur de l'identité et de l'« esprit des peuples ». Mais le romantisme déjà, réagissant contre l'esprit des Lumières, avait opposé le nationalisme au rationalisme, et dénoncé l'infatuation de la raison et la foncière inhumanité de l'humanisme, quand ils prétendent du haut d'une seule culture piloter toutes les autres. En affirmant la disparité irréductible des cultures singulières, leur égale dignité, et en définissant l'homme comme un être tribal et enraciné, le romantisme posait le cadre moral et philosophique qui aboutira à la charte de l'Unesco (1946).

« Ce n'est pas l'humanité mais les hommes qui habitent la Terre », écrit Hannah Arendt. Le savoir anthropologique prendra le relais de ces thèses pour décrire et fonder en science l'évidence des clôtures culturelles, qui ressuscitent comme forces de résistance dans les guerres coloniales. Et la vulgate philosophique des années soixante gravite, à partir de cette conjoncture historique, autour d'une certaine haine de l'universel, plus ou moins identifié au spectre du totalitarisme. La réflexion apparaît pressée de se rapatrier dans les identités de sexe, de races, de cultures (au pluriel). En résulte-t-il une « défaite de la pensée » par oubli du rationalisme libérateur et tolérant des Lumières, comme argumente Finkielkraut dans un livre important (1987) ? La grande question devient de ne se tromper ni de nationalisme, qui peut être agressif-assimilateur mais aussi défensif, ni de rationalisme. On accuse celui des Lumières d'avoir couvert la colonisation, puis engendré le totalitarisme internationaliste des soviets. Mais comment, sans l'espace ouvert par le rationalisme classique, résister aux conflits inexpiables des identités ethniques ou religieuses ? L'individu contemporain se trouve devant un dilemme : il souffre de son individualisme et s'effraie de flotter sans repères ni racines, hors sol, ou d'être livré aux caprices d'une économie-monde que l'État protecteur n'encadre plus ; mais il ne veut pas non plus étouffer dans l'étui identitaire d'une culture, et ni le fondamentalisme islamique ni l'autarcie albanaise ne semblent offrir d'alternatives enviables au malaise né de la mondialisation.

3. Notre facile culture de survol

Qu'est-ce qu'un échange culturel ? Notre consommation tous azimuts de la culture des autres nous a fait peut-être perdre le goût d'une véritable confrontation dans ce domaine. Avant de prendre sur quelques exemples la mesure de la fadeur postmoderne, un détour par l'intransigeance et le choc des cultures ne sera pas inutile.

Dans le film puis le livre intitulés *La Controverse de Valladolid*, Jean-Claude Carrière a brossé à partir d'un épisode historique un tableau saisissant du vertige qui saisit la conscience occidentale devant l'ouverture du (nouveau) monde, beaucoup plus vaste qu'on n'imaginait, peuplé de créatures énigmatiques et « plein de rumeurs et de rêves ». Face au choc de ce réel impensable, les deux théologiens qui s'affrontent manient les références communes d'un savoir antérieur : tous deux citent Aristote, les Pères de l'Église et l'Écriture sainte. Mais Sepúlveda tire de celle-ci la justification de l'infériorité des Indiens et de leur réduction au servage, tandis que Bartolomé de Las Casas, qui a vécu parmi ceux-ci, plaide la thèse de leur humanité au nom de la continuité du sentiment, et particulièrement de la pitié. Qui est mon prochain ? Bartolomé s'estime « soi-même comme un autre », selon la belle formule de Ricœur, ou ne sent pas de différence insurmontable entre eux et lui ; l'intégriste Sepúlveda au contraire incarne un ethnocentrisme générateur d'impérialisme, et combat pied à pied l'humanisme universaliste du dominicain.

Le sourire de Mickey et le recyclage planétaire

On ne saurait confondre l'ouverture héroïque du frère Bartolomé, qui entraîne à des droits et à des devoirs inédits, avec la consommation *kitsch* de nos parcs de loisirs. Ces mondes assemblés à partir d'emprunts superficiels ne proposent pas de culture, ils cherchent entre celles des touristes venus du monde entier le plus grand commun dénominateur, ou l'invariant anthropologique, et ils croient avoir localisé ce dernier à l'intersection de l'animal et de l'enfant. Ce degré zéro de la définition culturelle est nécessairement fade, comme sont fades et sucrés les hamburgers qu'on y sert — l'industrie du *fast-food* comme celle des parcs touchant à l'universel par soustraction des particularismes, ou en cultivant le *less objection program*, celui qui correspond à la moyenne la plus lisse.

Le tourisme

Il est facile de reprocher au tourisme la recherche du même universel pauvre et de brocarder la passivité naïve de ces gens qu'on promène de site en site, l'écran des stéréotypes interposé entre leurs regards et la réalité qu'ils effleurent sans la voir. Beaucoup de voyages touristiques sont des déplacements-alibis, une traversée des apparences qui conserve intacte la clôture informationnelle du promeneur. Partout où celui-ci accède, la fenêtre se change en miroir et la réalité locale se décolore, pour se conformer à l'imagination du *tour operator* et au goût des visiteurs. Le tourisme de masse rapetisse et dégrade le monde puisqu'il a pour premier commandement : aller très loin sans cesser d'être *chez soi*. Passant de l'avion à nos chambres climatisées, nous jouons avec les fuseaux horaires comme le *dictateur* de Chaplin avec le ballon du globe terrestre. Il n'est pas exclu pourtant, quelle que soit l'inanité de la plupart des déplacements touristiques, que certains voyageurs manifestent un étonnement sincère et une approche respectueuse des autres mondes. Dans l'industrie touristique comme à la télévision, il arrive qu'à travers la vulgarité écœurante des programmes une information inattendue se faufile, à laquelle nous n'aurions jamais eu accès autrement.

La world music

S'il est un message qui mieux que les mots ou les images saute aujourd'hui les frontières, c'est bien la musique, cette « chose du monde la mieux partagée ». Dans tous les aéroports, ascenseurs ou supermarchés de la planète, nous risquons d'entendre en boucle les mêmes tubes. Et les sons baptisés *musak*, comme le hamburger déjà cité, doivent leur diffusion universelle à leur édulcoration. L'optimum de la communication exige dans ce domaine le minimum d'information ou de surprise.

Il serait intéressant de traiter sur l'exemple des usages contemporains de la musique la question de l'interculturel et des métissages. Quantité de genres et d'œuvres originales ont surgi en effet, à la croisée des anciens découpages. Et des folklores confidentiels, moulinés au *global sound* ou au *world beat*, envahissent le réseau et les bacs de la FNAC : en deux albums, l'emballage baptisé *lambada* s'est ainsi vendu à 55 milions d'exemplaires ! Ne faut-il entendre dans l'avalanche des titres disponibles que le rouleau compresseur du marketing et le pillage de l'âme des peuples ? Ici encore, en marge de l'assimilation lourde et du fleuve sirupeux des sons, il est remarquable que la numérisation et la prospection fine des enregistrements sauvent quantité d'œuvres menacées de disparition, et que l'énorme consommation de notre monde désormais sonore suscite des vocations originales : jamais on n'a réhabilité autant d'instruments anciens, rassemblé autant de chorales autour d'œuvres oubliées, ressuscité des traditions ou inventé des sons, des rythmes ou des genres inédits. Aux rayons d'un grand disquaire, les musiques affluent de tous les coins du monde et depuis plusieurs siècles d'histoire. Les nouvelles technologies offrent des moyens inédits de les écouter, de les mixer ou de leur ajouter des images ou des sons. Jamais notre oreille n'a été plus assaillie de musiques pauvres, délavées, mais jamais non plus l'offre musicale d'œuvres surprenantes, anciennes ou modernes, n'a été plus riche.

L'art contemporain

Comme pour le cinéma ou la musique, certaines œuvres d'art sont aujourd'hui directement produites à l'échelle mondiale. Et le centre Beaubourg, haut lieu des expositions internationales Paris-Berlin, Paris-Moscou ou Vienne, affirme violemment par ses horizontales d'acier et de verre et ses tuyauteries l'impératif de la circulation. Il n'est pas évident cependant que l'art saute bien les frontières. Certaines œuvres ne supposent-elles pas, pour être reçues ou simplement perçues, un riche écosystème de connivences et d'expériences partagées ? La valeur artistique, d'abord locale dans son élaboration et son appréciation, peut-elle se hisser au niveau global sans se perdre ?

À sa manière, Walter Benjamin posait cette question dans la riche (mais peut-être confuse) problématique intitulée par lui *L'Œuvre d'art à l'ère de sa reproduction mécanisée*. Il y examinait en particulier le passage de la valeur d'usage à la valeur d'exposition, puis d'échange : à l'origine, par exemple dans la crypte romane ou le palais du prince, l'œuvre servait ; et ses valeurs religieuses (édification du croyant, culte votif) ou magnificentes étaient indissociables de leur contexte d'énonciation, cette « unique apparition d'un lointain » qui définit pour Benjamin ce qu'il appelle l'*aura* — ce qui fait rayonner l'œuvre dans son site.

D'une première façon, la juxtaposition des œuvres dans l'espace du musée les délocalise, et retire à la statuette khmère ou à la Nativité l'aura dont elles jouissaient dans leur installation d'origine. En revendiquant pour certaines représentations un regard universel, le musée ou la collection constituent une première « conquête de l'ubiquité » (Valéry). La perte d'aura s'aggrave avec la reproduction photographique des chefs-d'œuvre, mais un large public accède par ce biais à l'art : nous connaissons davantage de tableaux ou de musiques par les livres, les enregistrements ou aujourd'hui les CD-ROM que par un contact direct avec l'original. Ce « musée imaginaire » prophétisé par Malraux annonce directement la libre combinatoire postmoderne, qui joue de toutes les possibilités de collage, mixage, métissage, déconstruction ou remontage des œuvres, jusqu'à rendre inessentielle la frontière entre l'original et sa reproduction, ou entre le geste créateur et celui d'une machine. Le *pop art* en particulier et les séries produites par Andy Warhol jouent très délibérément à confondre ou à écraser des hiérarchies jusque-là bien établies ; et il produit du même coup ses œuvres au plan international : les *Flags* de Jasper Johns, les planches de dollars ou du sourire de Marilyn ironiquement reproduits par Warhol peignent les signes de la consommation de masse et le milieu signalétique ou publicitaire offert à nos regards dans l'empire sans frontière de la marchandise.

On peut déplorer avec Jean Clair le recul d'un art qui veillait séculairement sur les lieux, reconnaissables à la Renaissance dans l'arrière-plan du tableau. À des œuvres « lieux de mémoire », la culture et le marché américains ont peu à peu substitué un style international et partout chez lui, au « grain » souvent plus pauvre, accordé à l'esthétique fonctionnelle des bureaux des SARL et à l'impératif général d'une circulation sans coefficients de frottement. Mais cette utopie (au sens étymologique) d'un art sans autre valeur que d'échange, et sans autres liens ni lieux que ceux du marché mondial, se trouve elle-même contestée et comme équilibrée par l'émergence d'installations interactives explicitement conçues pour être déclinées ou développées au gré de leurs utilisateurs. En faisant tourner la performance autour d'un spectateur promu coproducteur, elles relocalisent l'œuvre à l'extrême ; le contexte pourvoyeur d'aura n'est plus dans un site immuable et lointain, mais dans une relation d'utilisation chaque fois nouvelle ou dans l'espace potentiellement illimité des échanges de l'homme avec la machine.

4. L'économie en orbite

L'homme est un être territorial, plus attaché qu'on ne pense aux valeurs du foyer ou du *chez-soi* ; il n'aspire pas spontanément à une culture devenue hors sol, ou exposée aux courants d'air d'une communication tous azimuts. La récente déterritorialisation, si elle comble les vœux d'une *jet-set* branchée qui vit de plain-pied dans un nomadisme cosmopolite, engendre chez la plupart mille frustrations identitaires. Alors que le travail et l'habitat sont des marqueurs traditionnels de la personne, le monde moderne exigera de plus en plus de chacun qu'il change au cours de sa vie de profession et de résidence.

De même devra-t-il, pour s'adapter au cours fuyant des choses, renouveler son savoir et réviser sa culture ; et cette obsolescence des connaissances, qui contribue tant à dévaloriser les personnes âgées, est un facteur supplémentaire de perte du sens et de désarroi.

Melting-pot *ou* salad bowl ?

Nous savons combien la démocratie elle-même, qui nivelle les conditions, qui rend tournant le lieu du pouvoir et soumet son occupation à des consultations périodiques, répugne aux esprits formés dans une société patriarcale ou théocratique. Face à une mobilité croissante qui entraîne fatalement la rupture des anciennes solidarités et l'exclusion, un immense besoin identitaire s'exprime par le retour du sentiment religieux, des pères charismatiques et des politiques populistes. Le fondamentalisme islamique est la meilleure façon pour les paysans chômeurs de la banlieue d'Alger ou du Caire de retrouver leurs racines (à défaut de leurs terres) ; les sectes qui prospèrent chez nous sur les décombres de la famille récupèrent quelques laissés-pour-compte de la société marchande, heureux de se ranger sous la passion de l'Un ; de même voit-on le grand corps trop abstrait et trop vaste de la démocratie américaine se morceler en communautés qui ravivent les liens organiques de la tribu : le pays du marché roi et de la standardisation technique est aussi, par contre-poussées, le siège des remembrements ethniques et du « politiquement correct ». Et le modèle trop assimilateur du *melting pot* est contesté aujourd'hui par celui du *salad bowl*, où chaque ingrédient conserve sa saveur particulière.

Fusionner ferait le jeu du modèle dominant ; mais l'affirmation sans précaution des différences peut ramener aux ghettos et à la guerre de tous contre tous. Face à la dévastation des valeurs traditionnelles et aux désordres individualistes causés par la société de contrat, dont le marché capitaliste mondial représente le stade suprême, les multiples communautés aux identités tangibles et aux relations chaudes n'ont pas fini de croître et de proliférer.

La spéculation financière, fer de lance de la mondialisation

La mondialisation menace des pans entiers des édifices culturels et sociaux. En dérégulant les services publics rabattus sur l'économie de marché, et en poussant celle-ci à se délocaliser, elle jette ici un nombre croissant d'hommes et de femmes dans la précarité, mais elle donne du même coup du travail et des salaires aux habitants du tiers monde. Ce qui décime l'emploi en Europe peut profiter au Chinois ou à l'Indonésien, et le décollage économique de leurs pays constitue l'autre aspect de cet ensemble complexe de phénomènes.

Ce qu'on appelle aujourd'hui mondialisation correspond d'abord à l'autonomisation de l'économie, pressée de s'affranchir des cadres politiques nationaux ; et dans celle-ci, à la multiplication des échanges financiers, dont le volume excède de beaucoup les transactions de l'économie réelle. Cette croissance sans frein de la bulle spéculative en orbite autour de la planète est elle-même produite par les technologies de l'information, qui relient les marchés en temps réel ; les opérateurs de la finance et ceux de l'information sont étroitement imbriqués.

Les bases territoriales des entreprises ont éclaté, et le néolibéralisme applaudit à l'effacement de l'État-nation : du point de vue du consommateur, ou du *yuppie* investisseur, les marchandises ont de moins en moins de patrie ; de fait, leur production se dissémine en divers points du globe, à la recherche des niches les plus performantes : les firmes multinationales choisissent des pays à salaires bas, à faible protection sociale mais à régime politique fort ou stable. De sorte que le travail le plus rentable aujourd'hui réside moins dans la production effective de biens ou de services que dans la « manipulation de symboles » (Robert Reich) informatisés ; moins dans la maîtrise d'éléments matériels tels que la terre, les machines ou les ouvriers que dans le maniement de facteurs immatériels comme les connaissances scientifiques et techniques, les communications et les réseaux financiers en orbite autour de la Terre. L'économie mondiale se dématérialise, et en s'allégeant s'accélère ; détachée de toute considération autre que spéculative, elle se meut dans l'éther glacé à la vitesse des faisceaux hertziens, et parle l'espéranto sans états d'âme des marchés.

Le capitalisme s'est ainsi dédoublé en deux branches, de la production et de la spéculation. La première continue d'obéir au temps des échanges sociaux et matériels, la seconde épouse le temps direct de l'information. La communication et la monnaie tendent à se confondre dans la manipulation experte des chiffres et des symboles du marché. Un *cyberbusiness* infiltre le nouveau cyberespace, et ces noces de l'ordinateur et des télécommunications engendrent chez quelques-uns une conscience planétaire, sans nul doute neuve et excitante ; les séculaires règles de voisinage sont abolies, les distances et les délais atomisés, les durées se calculent en picosecondes et les profits libellés en dollars ou en yens cascadent sur les écrans. Une « société de communication » coiffe et supplante par sa richesse les groupes sociaux organisés autour de la production.

Le marché serait-il devenu le sauveur et le moteur suprêmes, la forme par excellence du lien social et d'une solidarité objective entre les hommes ? Ce nouveau capitalisme du travail fragmenté, flexible et délocalisé bouleverse l'idée de progrès, la perspective d'un travail pour tous et d'une justice sociale dans l'entreprise. Du temps du capitalisme national, l'État pouvait à coups de mesures politiques corriger certains mouvements économiques ; mais à quel métaniveau politique faire appel aujourd'hui pour contrôler, à l'échelle de la planète, les excès d'un marché devenu international ? La mondialisation économique avance beaucoup plus vite que la mondialisation politique, et elle échappe aux régulations institutionnelles. Partout où il s'infiltre, le marché ronge le cadre des États-nations, sans apporter lui-même aucune légitimité symbolique. Comme le remarque Sami Naïr (1996) au rebours des discours révolutionnaires de libération des années soixante, la conservation ou la restauration de formes symboliques devient une tâche urgente et progressiste, pour endiguer les déferlements destructeurs de ce qu'on appelle désormais, après Viviane Forrester, l'« horreur économique ». Si l'État ne joue pas ce rôle, des forces plus archaïques ou obscures s'en chargeront, et l'on verra resurgir les liens de l'ethnie, de la religion, du clan et du sang. La mondialisation économique et technique favorise la retribalisation ethnique.

Cow-boys et jardiniers

Du point de vue de Wall Street et des opérateurs dominants, rien ne doit plus faire obstacle à la libre circulation des marchandises, non plus qu'au *free flow* des informations et de la culture de masse. Mais si d'un bord à l'autre de la planète l'humanité « communique » enfin, elle n'a su le faire que par la mise en orbite du capital, et par l'imposition aux peuples minoritaires des standards techniques, économiques et culturels de l'ordre américain dominant. Des cow-boys impatients de conduire leurs troupeaux partout où il y a de l'herbe épuisent de vastes territoires, en méprisant les clôtures derrière lesquelles des jardiniers maintiennent à grand-peine leurs propres cultures.

A qui profite le « village global » imprudemment célébré par MacLuhan ? L'extension planétaire du réseau favorise d'abord l'opérateur le plus fort, pour lequel « mieux communiquer » veut dire mieux connecter l'offre et la demande, voire le prédateur et sa proie. Depuis la chute définitive du bloc communiste, les États-Unis peuvent mettre en veilleuse leurs missiles, la diplomatie de la canonnière se transporte dans la diplomatie des réseaux. Comme l'écrit Zbygnew Brzezinski, le théoricien de la ville globale qui fut aussi conseiller de Jimmy Carter pour la sécurité nationale, « la base de la puissance américaine est, pour une très grande part, sa domination du marché mondial des communications. [...] Ceci crée une culture de masse qui a une force d'imitation politique » (cité par Armand Mattelart, 1996).

Sur le créneau des produits culturels, la *recherche d'herbe* a entraîné un conflit ouvert entre la France et ses partenaires occidentaux lors des négociations du GATT de décembre 1993. Faut-il dans le domaine de ces marchandises « pas comme les autres » laisser jouer librement l'offre et la demande ? Les Américains et les Anglais opposaient à l'intransigeance française que les images bonnes pour Denver ou Miami ne sauraient être mauvaises pour Orléans ou Manchester ; les champions de la libre circulation ont le visage ouvert des libéraux, ils ont mis dans leur camp ces petits dieux de l'air du temps que sont le métissage des cultures, la libre consommation, l'ouverture des frontières et l'*american way of life*. Face à ces sympathiques entrepreneurs, les défenseurs de l'*exception culturelle* font figure de grincheux et de chauvinistes bornés. On a vite fait d'assimiler au dirigisme bureaucratique, ou au totalitarisme culturel, l'imposition de quotas à des œuvres étrangères. Et pourtant, sans ces mesures politiques de soutien et de protection culturelle, le raz de marée des *major companies* américaines aurait vite recouvert nos écrans de télévision et de cinéma. Or il est vital pour un peuple ou pour une culture de construire, de consommer et d'entretenir sa propre image à travers une littérature, une cinématographie, une télévision ou une musique d'abord *nationales*. Combien de pays ont perdu en Europe cette maîtrise ? Et dans les pays du Sud, combien d'industries de l'information et de la culture ont été simplement empêchées de naître ? Leurs habitants regardent les films achetés à bas prix au Nord ; et si d'aventure l'écran de cinéma ou de télévision leur parle d'eux, ce récit est fabriqué par d'autres, hors de leurs frontières. Ce narcissisme empêché peut être ressenti à la longue comme un déni d'existence.

Le vortex du marché dominant, américain par définition, aspire et engloutit des pans entiers de la production littéraire, audiovisuelle et du patrimoine des cultures nationales. La diversité des imaginaires, des mémoires, donc peut-être à terme des identités, se trouve ainsi menacée de mort, au profit d'une monoculture partout chez elle. Les concessions arrachées par les négociateurs français lors du GATT seront de courte durée, et nos barrières de quotas font déjà sourire les promoteurs des « autoroutes de l'information » : quand sur les câbles et les faisceaux à haut débit qui innerveront son téléviseur chacun pourra recevoir des centaines de chaînes, la notion de programme ou même de chaîne n'existera plus ; une télévision de la demande remplacera celle de l'offre, et nous cueillerons directement sur les « bouquets numériques » tel film, ou telle retransmission sportive, à partir du catalogue d'un serveur forcément international.

5. Vers la connexion universelle

Notre enveloppe nationale fuit par les deux bouts : vers l'international, qui peut être de proximité et offrir une identité alternative avec l'Europe, autant que vers les « petites patries » de la région, de la ville ou des communautés qui émergent aujourd'hui avec l'assistance de l'ordinateur et des réseaux.

C'est sur ce modèle du réseau, proliférant dans le discours contemporain, que nous bouclerons ce parcours. Il est probable qu'Internet et le World Wide Web constituent en effet, pour reprendre les rubriques de ce chapitre, un prolongement de la philosophie des Lumières, un chef-d'œuvre d'auto-organisation démocratique, un outil fantastique au service du multiculturalisme autant qu'un champ d'affrontement entre l'utopie jardinière et les cow-boys du *big business*... Le grand réseau est par ailleurs l'illustration saisissante d'une réalisation intensément pragmatique : en croissance constante ou, comme on dit, exponentielle, il interdit à quiconque de prendre sur lui une vision d'ensemble ou une cartographie de surplomb. Personne n'a voulu la forme actuelle du réseau, nul ne la connaît ni n'en peut dessiner le plan. On ne peut qu'interagir avec cet enchevêtrement complexe et sans limites de relations virtuelles, s'y faufiler, y « naviguer ». Si la toile constitue, d'une certaine manière, l'autocartographie du monde moderne dont les activités viennent se dupliquer, se repiquer et marcotter sur elle de mille façons, l'immense pays du cyberespace demeure lui-même privé de carte, et la seule façon de le connaître est d'*entrer dans l'orchestre* — un orchestre sans chef dont les exécutants sont partout, et dont la partition n'est écrite nulle part.

Dans son ouvrage *Cyberculture*, Pierre Lévy insiste fortement sur la nouveauté sans précédent de cet « universel sans totalité », c'est-à-dire sans aucun sens global, proposé par le Web. Pendant longtemps, l'humanité n'a pu concevoir son rassemblement ou sa communication universelle avec elle-même que par le truchement d'un grand message, religieux ou idéologique. Ce message agissait à la façon d'un soleil, et les hommes devaient graviter autour. La philosophie des Lumières ne disait pas autre chose en remplaçant l'universel religieux par celui, plus abstrait, de la raison. Or l'universel qui triomphe aujourd'hui avec le Web n'est pas celui du *message*, ni de contenus particulièrement rationnels, mais celui du seul *médium*. Le Web est rationnel par sa forme ou par les opérations qu'il nécessite pour se brancher dessus, moyennant quoi il laisse l'usager parfaitement libre d'y naviguer à sa guise, en émettant ou en recevant les messages éventuellement les plus fous. Le but ultime du réseau n'est pas en effet le message, mais la disponibilité du contact : le réseau est d'abord *phatique**, et il n'a pas au fond d'autre finalité : toute son utopie s'épuise à brancher entre eux des correspondants.

L'optimisme exprimé par Pierre Lévy consiste à soutenir que cette connexion potentiellement universelle est une valeur en soi, parfaitement suffisante. Le réseau ou, comme dit Derrick de Kerckhove, l'*intelligence connectée* peut stimuler fortement la pensée, mais ne lui prescrit aucun contenu. Nous parions simplement sur la valeur ajoutée qui résultera pour chacun du branchement : que, de ces curiosités, des intelligences singulières ou des savoir-faire ainsi reliés, il ne peut pas *rien* sortir ; que les individus mis en synergie se trouveront grâce au réseau plus riches qu'ils n'y sont entrés.

Comment peut-on être mondial ? Cette communication virtuellement universelle sans dirigisme du sens annonce au fond la fin *du monde*, entendons : d'un monde *un*, ou du même monde pour tous. Avec l'extension du réseau « la messe est finie », et du même coup la masse (chapitre VII) : à chacun son information, ses curiosités et ses relations particulières. En multipliant les mondes propres et les expressions d'autonomie, en encourageant la diversité des cultures, des sensibilités et des savoirs, le Web brise sans retour la forme encyclopédique sous sa forme hégélienne ou les projets de totalisation idéologique. Ce monde qu'on croyait réel, ou le même pour tous, se morcelle en une infinité de mondes propres, parmi lesquels chacun ne peut devenir au mieux qu'une « encyclopédie errante », comme le prophétisait Nietzsche, dont l'écriture en archipel anticipait les nouvelles technologies.

Non seulement la perspective unique se dérobe, mais le contexte et le monde propre du récepteur l'emportent désormais sur la sémantique interne du message ou l'intention de l'émetteur. La pertinence supplante la vérité ; *ici et maintenant* sonne comme une exigence, ou pour certains une évidence indépassable. Et cette autonomie partout revendiquée consonne avec l'idéal horizontal et acéphale de la démocratie. Demeure la question de la permanence et de la transcendance des institutions, menacées de contournement et d'effondrement symbolique : comment, avec l'horizontal, refaire du vertical ? Comment, à travers les navigations et les rencontres du réseau, garantir la fiabilité et l'autorité des messages ?

Et quel sens donner à présent à la formule d'Héraclite, « les hommes éveillés habitent le même monde » ? L'idéal du même monde pour tous faisait lui-même, peut-être, partie du rêve, ou d'une idée trop simple de la raison. Si le réel, comme nous le disions, est une catégorie technique, la croissance buissonnante des médias ne peut que fragmenter notre principe de réalité. De même, en nous reliant toujours davantage, notre moderne société de contact nous modifie et, espérons-le, nous complique. Sur la terre comme au Web, l'uniformisation ou le pire ne sont pas toujours sûrs.

IX / Réponses à quatre questions au vu de ce qui précède

Les disciplines de la communication méritent-elles le titre de « sciences » ?

Si l'on entend par *science* une unification des phénomènes par la formulation de lois, et en général une « langue bien faite » comme écrit d'Alembert, il est clair que les SIC, dans leur disparité actuelle, remplissent mal les critères de la scientificité : leur objet, qu'on trouvera toujours enchâssé en dernière analyse dans une relation pragmatique de sujet à sujet, se prête difficilement à une élaboration rigoureuse. D'apparition tardive, notre interdiscipline propose en revanche aux sciences sociales déjà constituées un croisement de leurs problématiques, ou un élargissement de leurs curiosités ; en circulant entre les raisons locales de la sémiologie, de la psychologie sociale, de l'histoire ou de l'informatique, elle peut servir à compliquer notre idée toujours un peu réductrice de la raison en montrant dans celle-ci non un état, mais un processus jamais achevé de communication. Dans tous domaines, depuis le raisonnement solitaire jusqu'aux navigations sur Internet, l'intelligence est une activité de liaison et de négociation, dont nos SIC étudient concrètement les paramètres et les multiples aspects, médiatiques, psychologiques, sociaux...

Pourquoi ne trouve-t-on nulle part développée dans ce livre l'expression « société du spectacle » ?

Ce titre célèbre de Guy Debord (1967), principal manifeste du mouvement situationniste, a beaucoup vieilli et ne peut guère éclairer nos études. Le problème des SIC n'est pas de lancer un « -isme » de plus, mais d'examiner concrètement les conditions de succès ou d'échec des énonciations médiatiquement ou techniquement relayées (au nombre desquelles le Situationnisme). Le mot *spectacle* est-il un concept ? Recouvre-t-il des phénomènes homogènes, ou justiciables de la même condamnation, selon qu'on considère les spectacles de l'institution (État, Église, École, Armée, Justice...), les représentations « présentielles » du théâtre ou du cirque, les enregistrements ou les télédiffusions de nos écrans en général, ou encore les relations publiques, les modes de construction de l'actualité, les stratégies médiatiques des personnalités (pas seulement politiques) ou les mille et une séductions publicitaires de la marchandise ? En ravivant presque automatiquement un vieux rêve de transparence, d'immédiateté et de présence, nos médias créent beaucoup d'impatience et de ressentiment. À cet idéalisme, les SIC opposent une étude plus sobre, et plus exigeante, des conditions matérielles de l'acheminement des messages.

On ne trouve pas non plus dans ce livre la mise en garde, devenue rituelle, contre les « vertiges » du virtuel et des simulacres...

Plusieurs auteurs s'emploient à les dénoncer à notre place. Qu'y a-t-il de gênant dans leurs discours ? Les représentations virtuelles, comme les spectacles d'ailleurs, ont l'excellente fonction d'alléger le poids sur nous du réel, d'en desserrer l'étau. On dénonce la montée du virtuel sans s'aviser que celle-ci commence avec la culture et se confond avec son histoire, c'est-à-dire avec l'essor du monde des signes en général, et de la mise en représentation. Parler, compter, combiner des signes, c'est éloigner la présence du réel dans la représentation, contenir le matériel par le logiciel et développer un espace mental d'initiative et de liberté. Le recours au virtuel multiplie les signes autour des choses, mais aussi les variables autour des données de la nature ou de l'expérience première. Là où les hommes habitaient un même monde, la culture du virtuel tend à fragmenter et à multiplier celui-ci, et la prolifération de nos machines à communiquer se traduit aujourd'hui par la prolifération *des* mondes, loin d'un horizon unique de référence. Sommes-nous pour autant menacés d'autisme ? On peut se réjouir au contraire de cet enrichissement très réel de nos plans d'expériences.

L'étendue des domaines recouverts par les SIC risque de désorienter fortement l'étudiant, ou le chercheur. N'avez-vous à leur proposer pour finir aucune méthodologie ?

L'idée d'une méthode est certes rassurante, mais largement illusoire. Comme l'a dit Roland Barthes, les mêmes qui insistent le plus sur la méthodologie sont souvent ceux qui apportent le moins à la recherche. Et Edgar Morin de son côté a exprimé un scepticisme voisin, particulièrement dans ses ouvrages intitulés *La Méthode*. Au terme de ce parcours, on retiendra donc avec eux que nos SIC, comme d'autres disciplines qu'on ne peut véritablement appeler des sciences, offrent aux chercheurs et pour cette raison même mille occasions d'une randonnée créative, qui passe aussi par le jeu, par l'image et le maniement de quelques bonnes métaphores. Pas plus que les médias dont elles s'efforcent d'élaborer la critique, nos SIC ne parlent d'une seule voix, et cette cacophonie persistante, qu'on peut trouver gênante, est aussi une chance à saisir pour la curiosité et les recherches personnelles.

Lexique des termes appelés par l'astérisque *

Analogique/digital : deux modes de la communication qui sont aussi deux façons de faire signe. Selon Bateson et Watzlawick, l'analogie conserve entre le signe et ce qu'il désigne une relation de « ressemblance » (qui peut connaître bien des degrés) tandis que l'ordre digital, arbitraire ou non motivé, opère par choix binaires et selon une logique du tout ou rien. Sur une carte d'identité par exemple, la photo désigne son porteur analogiquement, le nom propre ou le numéro d'identification national digitalement. La catégorie d'analogie englobe chez Watzlawick l'indice et l'icône de Peirce, qu'il ne distingue pas ; de même l'ordre digital réunit dans une même catégorie, sans doute trop large, le verbal et le numérique.

Condensation : une des opérations du « travail du rêve » selon Freud. Elle consiste à amalgamer, donc à brouiller par superposition, les données sensibles ou les messages que la perception droite distingue. La condensation est donc un défaut d'analyse ou de linéarisation (propre au désir, ou à l'impatient processus primaire), un court-circuit psychique que la psychanalyse présente aussi comme une épargne, source d'un certain plaisir.

Coupure sémiotique : la sémiosphère se déploie à bonne distance du monde réel ; la carte n'est pas le territoire, le signe est coupé de la chose qu'il désigne (même s'ils tendent à se confondre avec l'indice) : le mot « chien » ne mord pas (non plus que son image d'ailleurs).

Entropie : dégradation d'une organisation, nivellement des différences ou accroissement global du désordre. Désignée aussi comme *bruit*, l'entropie s'oppose donc à la valeur d'information en général.

Espace transitionnel (ou potentiel) : selon le psychanalyste D. Winnicott, zone intermédiaire entre dedans et dehors, englobant l'enfant et sa mère, dans laquelle circulent des objets encore tout mêlés à cette vie symbiotique primaire perçue comme sécurisante. Dans cette enceinte protectrice, la question du réel extérieur, et du découpage d'objets ou de sujets individuels, ne se pose pas.

Expressive (fonction) : dans la classification de Jakobson, correspond aux messages par lesquels le sujet dit ou montre un état de son monde propre, dont il est seul juge et qui échappe dans cette mesure à la vérification.

Feed-back : ce phénomène, central pour la pensée cybernétique, désigne le retour en information ou en énergie de l'effet sur la cause, ou de la sortie *(output)* sur l'entrée *(input)* d'une chaîne quelconque d'action ou de réaction. Cette causalité n'est donc pas linéaire mais circulaire, et dans cette mesure moins facile à prévoir. C'est ainsi qu'un organisme réagit par feed-back aux pressions de son environnement, et peut modifier celui-ci en retour ; de même notre relation aux outils techniques ou aux médias n'est pas de réception passive, mais tolère une certaine marge d'initiative en retour.

Graphosphère/vidéosphère : la graphosphère, période longue de transmission des messages selon Régis Debray, s'ouvre avec la généralisation de l'imprimerie : le livre devient l'outil par excellence de l'autorité symbolique, et la forme que doivent prendre l'information, la mémoire, l'imagination ou la connaissance scientifique. La vidéosphère, née avec les écrans de télévision puis d'ordinateur, ne chasse pas tout à fait la précédente mais concurrence le texte par l'image et le son, et le temps différé de l'écrit par le direct audiovisuel, et par l'interactivité propre aux nouvelles technologies.

Hypertexte : texte numérisé, devenu indéfiniment combinable et fluide, dont la lecture invite à une « navigation » non linéaire, et à l'interpolation de nouvelles écritures.

Métalangage : langage traitant du langage pour en expliciter la sémantique (définition d'un mot), la syntaxe (les règles grammaticales ou d'usage) ou, de façon plus floue, les relations pragmatiques (la métacommunication, qui excède la parole articulée et pose le cadre de l'interlocution).

Paradoxe : contradiction « verticale » entre l'énoncé et l'énonciation, ou entre les messages dits de contenu et le cadre relationnel d'une communication.

Phatique (fonction) : selon Roman Jakobson, désigne tous les opérateurs de contact dans l'interlocution ; un message phatique vise d'abord la mise en relation, et l'entretien optimal de celle-ci.

Principe de plaisir, principe de réalité : ces deux principes orientent alternativement selon Freud notre fonctionnement mental. Le plaisir est défini par lui comme une épargne de travail psychique, et s'obtient donc chaque fois que le traitement de la réalité peut être court-circuité, par le rêve, l'imaginaire ou une relation particulièrement forte comme l'amour. Le principe de réalité inversement, plus laborieux et exigeant, ajuste nos comportements et les états de notre monde propre aux contraintes du monde extérieur ; il se déploie donc dans le travail en général, dans la vigilance critique ou dans une séquence d'actions efficaces.

Processus primaire, processus secondaire : ces deux pôles de l'activité psychique selon Freud recouvrent approximativement ceux du sommeil et de la veille. Les représentations secondaires sont articulées, soumises au principe de réalité, d'identité et de linéarité (elles se laissent analyser partie par partie) ; le processus primaire en revanche écrase ou confond ce que le « secondaire » distingue, et il tend en particulier à ignorer les contraintes de l'espace, du temps, de l'identité, ainsi que la coupure sémiotique (le relief logique entre les signes et les choses) ; il règne sur le rêve, l'imaginaire et la vie affective.

Redondance : répétition, pour garantir un message contre le bruit, c'est-à-dire l'entropie ou la perte inévitable d'information lors de sa transmission.

Relief logique : distinction entre l'énoncé et l'énonciation (qui ne sont pas au même niveau), entre le langage et le métalangage, ou plus généralement entre les signes et l'ordre du monde (séparés par la coupure sémiotique).

Signifiant/signifié : les deux faces du signe selon Ferdinand de Saussure : le signifiant est la face matérielle (sonore ou graphique dans le cas du langage par exemple), le signifié désigne l'idée exprimée par celle-ci. Ce couple terminologique, trop centré sur la communication langagière par les théoriciens structuralistes, concerne à vrai dire toutes les façons de faire signe : par les mots mais aussi les images, et par les indices corporels.

Symbolique (le) : catégorie des signes logico-langagiers dans la classification de Peirce, il désigne également chez le psychanalyste Jacques Lacan et chez les anthropologues l'ordre impersonnel (dont le langage est le modèle), que nul ne crée et où l'on ne peut que prendre place. Dans cette acception, la notion évoque les règles d'un jeu, ou l'ordre en général de la loi, qui pèse sur l'individu par ses interdictions, mais qui lui donne du même coup son rôle et son identité.

Repères bibliographiques

L'indication « Textes essentiels » renvoie à notre anthologie des *Sciences de l'information et de la communication* (812 pages), Larousse, Paris, 1993.

Chapitre 1

Le contenu de ce chapitre se trouve développé dans deux articles : Daniel BOUGNOUX, « Entretiens » de la revue *MEI*, numéro 4, 1996, et « Les Territoires de la communication », revue *Sciences humaines*, numéro consacré à « La Communication, état des savoirs », hors série, mars-avril 1997.

Chapitre 2

BATESON Gregory, *Vers une écologie de l'esprit*, t. 1 (Seuil, Paris, 1977), chapitre « Une théorie du jeu et du fantasme », *Textes essentiels*, p. 226-238.

JAKOBSON Roman, *Essais de linguistique générale* (Minuit, Paris, 1963), chapitre « Linguistique et poétique » (tableau des six fonctions de la communication), *Textes essentiels*, p. 138-147.

MOLES Abraham, « Préface » à la *Théorie mathématique de la communication* de Claude SHANNON, suivi de Warren WEAVER, « Contributions récentes à la théorie mathématique de la communication », *Textes essentiels*, p. 407-427.

WATZLAWICK Paul *et al.*, *Une logique de la communication* (Seuil, Paris, 1972), chapitre 2, *Textes essentiels*, p. 238 252.

WINNICOTT Donald, *Conversations ordinaires*, Gallimard, Paris, 1988.

Chapitre 3

BARTHES Roland, *Mythologies*, Seuil, Paris, 1958, *Essais de sémiologie*, Seuil, Paris, 1964, *Essais critiques*, Seuil, Paris, 1964.

LÉVI-STRAUSS Claude, « Introduction à l'œuvre de Marcel Mauss » (PUF, Paris, 1950), *Textes essentiels*, p. 147-162.

PEIRCE Charles S., *Écrits sur le signe*, traduction et présentation de G. Deledalle, Seuil, Paris, 1978.

SAUSSURE Ferdinand DE, *Cours de linguistique générale* (Payot, Paris 1982), *Textes essentiels*, p. 120-133.

Chapitre 4

BARTHES Roland, *La Chambre claire*, Seuil/Les Cahiers du cinéma, Paris, 1980 ; *L'Obvie et l'obtus*, Seuil, Paris, 1982.

BENJAMIN Walter, « L'œuvre d'art à l'ère de sa reproduction

mécanisée », *in Écrits français*, Gallimard, Paris, 1991.

BENVENISTE Émile, « De la subjectivité dans le langage », *in Problèmes de linguistique générale*, Gallimard, Paris, 1966.

BOUGNOUX Daniel, *Vices et vertus des cercles, l'autoréférence en poétique et pragmatique*, La Découverte, Paris, 1989.

KERBRAT-ORECCHIONI Catherine, *L'Énonciation, de la subjectivité dans le langage*, Armand Colin, Paris, 1980.

LAPLANCHE Jean et PONTALIS J.-B., *Vocabulaire de la psychanalyse*, PUF, Paris, 1967.

PLATON, *Le Phèdre*. *Textes essentiels*, p. 25-28.

ROUSTANG François, « La veille du corps », *in Influence*, Minuit, Paris, 1990, et *Textes essentiels*, p. 329-340.

Revue *Recherches en communication*, « Métaphores », numéros 1 et 2, Université catholique de Louvain-la-Neuve, 1994.

Chapitre 5

BALLE Francis, *Médias et société, de Gutenberg à Internet*, 8e éd., Montchrestien, Paris, 1997.

BARBIER Frédéric et BERTHO-LAVENIR Catherine, *Histoire des médias*, Armand Colin, Paris, 1996.

BELIN Emmanuel, *Une sociologie des espaces potentiels*, thèse reprographiée, université catholique de Louvain, 1997.

DEBRAY Régis, *Cours de médiologie générale*, Gallimard, Paris, 1991, *Textes essentiels*, p. 605-615 ; *Manifestes médiologiques*, Gallimard, Paris, 1994 ; *Transmettre*, Odile Jacob, Paris, 1997 ; *Introduction à la médiologie*, PUF, coll. « Premier cycle », Paris, 2000.

ECO Umberto, *La Guerre du faux*, Grasset, Paris, 1985.

EISENSTEIN Elizabeth, *La Révolution de l'imprimé dans l'Europe des temps modernes*, La Découverte, Paris, 1991.

FLICHY Patrice, *L'Innovation technique*, La Découverte, Paris, 1995.

GOODY Jack, *La Raison graphique*, Minuit, Paris, 1979, *Textes essentiels*, p. 561-570.

HUGO Victor, « Ceci tuera cela », *in Notre-Dame de Paris*. *Textes essentiels*, p. 542-551.

LEROI-GOURHAN André, *Le Geste et la Parole*, Albin Michel, Paris, 1964.

MACLUHAN Marshall, *Pour comprendre les médias*, Seuil, Paris, 1968.

PERRIAULT Jacques, *La Logique de l'usage, essai sur les machines à communiquer*, Flammarion, Paris, 1989.

PLATON, *Protagoras*.

STIEGLER Bernard, *La Technique et le Temps 1., La Faute d'Épiméthée*, Galilée/Cité des sciences et de l'industrie, Paris, 1994.

Revues *Les Cahiers de médiologie*, n° 4, « Pouvoirs du papier », Gallimard, Paris, 1997 ; n° 6, « Pourquoi des médiologues ? », *ibid.*, 1998.

Chapitre 6

BALLE Francis, *Introduction aux médias*, PUF, Paris, 1994.

BOUGNOUX Daniel, *La Suggestion, Hypnose, influence, transe*, Colloque de Cerisy, Delagrange/Synthélabo, Paris, 1991 ; *La Communication contre l'information*, Hachette, Paris 1995 ; *Crise de l'information ?*, « Problèmes politiques et sociaux », La Documentation française n° 737, Paris, 1994 ; *Lettre à Alain Juppé (et aux énarques qui nous gouvernent) sur un persistant « problème de communication »*, Arléa, Paris, 1996.

CHAIZE Daniel et TIXIER-VIGNANCOURT Robert, *Les Dir-coms. À quoi sert la communication ?*, Seuil, Paris, 1993.

CHARON Jean-Marie, *La Presse quotidienne*, La Découverte, coll. « Repères », Paris, 1996.

GIRARD René, *Mensonge romantique et vérité romanesque*, Grasset, Paris, 1961, *Textes essentiels*, p. 319-328.

HALIMI Serge, *Les Nouveaux Chiens de garde*, Liber, Paris, 1997.

POPPER Karl, *La Société ouverte et ses ennemis*, 2 volumes, Seuil, Paris, 1979.

Chapitre 7

CHAMPAGNE Patrick, *Faire l'opinion, le nouveau jeu politique*, Minuit, Paris, 1990.
CHARTIER Roger, *L'Ordre des livres. Lecteurs, auteurs, bibliothèques en Europe entre XIVe et XVIIIe siècles*, Alinéa, Paris, 1992.
DAYAN Daniel et KATZ Elihu, *La Télévision cérémonielle*, PUF, Paris, 1996.
HABERMAS Jurgen, *L'Espace public*, Payot, Paris, 1978.
JOST François et LEBLANC Gérard, *La Télévision française au jour le jour*, INA/Anthropos, Paris, 1994.
KERCKHOVE Derrick DE, *L'Intelligence des réseaux*, Odile Jacob, « Le champ médiologique », Paris, 2000.
LÉVY Pierre, *Cyberculture, rapport au Conseil de l'Europe*, Odile Jacob, Paris, 1997.
MIÈGE Bernard, *La Société conquise par la communication*, PUG, Grenoble, 1989, *Textes essentiels*, p. 615-621.
MEHL Dominique, *La Fenêtre et le miroir*, Payot, Paris, 1992.
MISSIKA Jean-Louis et WOLTON Dominique, *La Folle du logis, la télévision dans les sociétés démocratiques*, Gallimard, Paris, 1983, *Textes essentiels*, p. 639-643.
NEVEU Érik, *Une société de communication ?*, Montchrestien, Paris, 1994.
PAILLIART Isabelle (sous la dir. de), *L'Espace public et l'emprise de la communication*, Ellug, Grenoble, 1995.
SENNETT Richard, *Les Tyrannies de l'intimité (The Fall of Public Man)*, Seuil, Paris, 1979.
WOLTON Dominique, *Éloge du grand public, une théorie critique de la télévision*, Flammarion, Paris, 1990.
Revue *Les Cahiers de médiologie*, « Anciennes nations, nouveaux réseaux », Gallimard, Paris, 1997.
Revue *Hermès* numéro 4, « Le nouvel espace public », CNRS, Paris, 1989. *Hermès*, numéro 13-14, « Espaces publics en images », CNRS, Paris, 1994.

Chapitre 8

CARRIÈRE Jean-Claude, *La Controverse de Valladolid*, Pocket-Le Pré aux Clercs, Paris, 1992.
CLAIR Jean, *Considérations sur l'état des beaux-arts*, Gallimard, Paris, 1981.
ENGELHARD Philippe, *L'Homme mondial*, Arléa, Paris, 1996.
FINKIELKRAUT Alain, *La Défaite de la pensée*, Gallimard, Paris, 1987.
MATTELART Armand, *La Communication-monde*, La Découverte, Paris, 1992 ; *L'Invention de la communication*, La Découverte, Paris, 1994 ; *La Mondialisation de la communication*, PUF, « Que sais-je ? », Paris, 1996.
MORIN Edgar, *Terre-patrie*, Seuil, Paris, 1993.
MORIN Edgar et NAÏR Sami, *Une Politique de civilisation*, Arléa, Paris, 1997.
MUSSO Pierre, *Télécommunications et Philosophie des réseaux*, PUF, Paris, 1997.
SERRES Michel, *Le Contrat naturel*, François Bourin, Paris, 1990.
WARNIER Jean-Pierre, *La Mondialisation de la culture*, La Découverte, coll. « Repères », Paris, 1999.
Revue *Manières de voir*, « Internet, l'extase et l'effroi », *Le Monde diplomatique*, Paris, 1997.
Revue *Sciences humaines*, « La mondialisation en débat », hors série, juin-juillet 1997.

Trois ouvrages, transversaux à l'ensemble de nos chapitres, s'ajoutent à cette liste :

BRETON Philippe et PROUX Serge, *L'Explosition de la communication*, La Découverte, Paris, 1989.
LAMIZET Bernard et SILEM Ahmed, *Dictionnaire encyclopédique des sciences de l'information et de la communication*, Ellipses, Paris, 1997.
MEUNIER Jean-Pierre et PERAYA Daniel, *Introduction aux théories de la communication*, de Boeck Université, Bruxelles, 1993.

Table

Collection

R E P È R E S

dirigée par
JEAN-PAUL PIRIOU

avec BERNARD COLASSE, PASCAL COMBEMALE, FRANÇOISE DREYFUS, HERVÉ HAMON, DOMINIQUE MERLLIÉ *et* CHRISTOPHE PROCHASSON

L'argumentation dans la communication, n° 204, Philippe Breton.
Les bibliothèques, n° 247, Anne-Marie Bertrand.
Les catégories socioprofessionnelles, n° 62, Alain Desrosières et Laurent Thévenot.
Les catholiques en France depuis 1815, n° 219, Denis Pelletier.
Le chômage, n° 22, Jacques Freyssinet.
Chronologie de la France au XXᵉ siècle, n° 286, Catherine Fhima.
Les collectivités locales, n° 242, Jacques Hardy.
Le commerce international, n° 65, Michel Rainelli.
La comptabilité en perspective, n° 119, Michel Capron.
La consommation des Français
1. n° 279 ; **2.** n° 280, Nicolas Herpin et Daniel Verger.
Critique de l'organisation du travail, n° 270, Thomas Coutrot.
La décentralisation, n° 44, Xavier Greffe.
Le droit international humanitaire, n° 196, Patricia Buirette.
Droit de la famille, n° 239, Marie-France Nicolas-Maguin.
Le droit du travail, n° 230, Michèle Bonnechère.
Droit pénal, n° 225, Cécile Barberger.
L'économie de l'Afrique, n° 117, Philippe Hugon.
L'économie de la culture, n° 192, Françoise Benhamou.
Économie de la presse, n° 283, Patrick Le Floch et Nathalie Sonnac.
Économie de l'environnement, n° 252, Pierre Bontems et Gilles Rotillon.
L'économie des inégalités, n° 216, Thomas Piketty.
Économie de l'innovation, n° 259, Dominique Guellec.
Économie des réseaux, n° 293, Nicolas Curien.
Économie de la connaissance, n° 302, Dominique Foray.
Éthique économique et sociale, n° 300, Christian Arnsperger et Philippe Van Parijs.
L'éthique dans les entreprises, n° 263, Samuel Mercier.
Les étudiants, n° 195, Olivier Galland et Marco Oberti.
La fonction publique, n° 189, Luc Rouban.
La formation professionnelle continue, n° 28, Claude Dubar.
La France face à la mondialisation, n° 248, Anton Brender.
Histoire de l'administration, n° 177, Yves Thomas.
Histoire de la guerre d'Algérie, 1954-1962, n° 115, Benjamin Stora.
Histoire des idées politiques en France au XIXᵉ siècle, n° 243, Jérôme Grondeux.
Histoire des idées socialistes, n° 223, Noëlline Castagnez.
Histoire du Parti communiste français, n° 269, Yves Santamaria.
Histoire du parti socialiste, n° 222, Jacques Kergoat.
Histoire de la philosophie, n° 95, Christian Ruby.
Histoire politique de la IIIᵉ République, n° 272, Gilles Candar.
Histoire politique de la IVᵉ République, n° 299, Éric Duhamel.
Histoire du travail des femmes, n° 284, Françoise Battagliola.
Histoire sociale du cinéma français, n° 305, Yann Darré.
Histoire de la sociologie :
1. Avant 1918, n° 109
2. Depuis 1918, n° 110, Charles-Henri Cuin et François Gresle.
Histoire des théories de l'argumentation, n° 292, Philippe Breton et Gilles Gauthier.
Histoire des théories de la communication, n° 174, Armand et Michèle Mattelart.
Introduction à l'histoire de la France au XXᵉ siècle, n° 285, Christophe Prochasson.
Introduction au droit, n° 156, Michèle Bonnechère.
Introduction à la philosophie politique, n° 197, Christian Ruby.
Introduction aux théories économiques, n° 262, Françoise Dubœuf.
L'Islam, n° 82, Anne-Marie Delcambre.
Les jeunes, n° 27, Olivier Galland.
Le judaïsme, n° 203, Régine Azria.
La justice en France, n° 116, Dominique Vernier.
Lexique de sciences économiques et sociales, n° 202, Jean-Paul Piriou.
La méthode en sociologie, n° 194, Jean-Claude Combessie.
Les méthodes en sociologie : l'observation, n° 234, Henri Peretz.
Les métiers de l'hôpital, n° 218, Christian Chevandier.
La mobilité sociale, n° 99, Dominique Merllié et Jean Prévot.
La modernisation des entreprises, n° 152, Danièle Linhart.
La mondialisation de la culture, n° 260, Jean-Pierre Warnier.

Composition Facompo, Lisieux (Calvados)
Achevé d'imprimer en mars 2001
sur les presses de l'imprimerie Carlo Descamps,
Condé-sur-l'Escaut (Nord)
Dépôt légal : avril 2001